Klaus Bötig, Journalist aus Bremen und Autor von über 80 Reiseführern, ist zu jeder Jahreszeit in der Heide unterwegs. Er findet sie ebenso interessant wie das sonst von ihm bevorzugte Griechenland.

Der Fotograf **Johann Scheibner** aus Berlin hat für den DuMont Bildatlas bereits in verschiedenen deutschen Landschaften fotografiert. Ihn beeindruckt die Vielgestaltigkeit der Heideregion.

Liebe Leserinnen, liebe Leser!

Wenn ich nach meiner Lieblingslandschaft in Deutschland befragt würde, wäre die Antwort klar: die Lüneburger Heide. Eine Rolle mag dabei spielen, dass ich sie seit meiner Kindheit kenne, vor allem aber ist es für mich ein einmaliges Erlebnis, im Sommer in einem riesigen Heidegebiet zu stehen, umgeben von einem rosafarbenen Blütenmeer, in dem nur einzelne Wacholderbüsche Akzente setzen.

Attraktives Ganzjahresziel

Doch nicht nur im August während der Blüte lohnt die Heide einen Besuch. Die Region im Viereck Hamburg, Bremen, Hannover und Wolfsburg hat das ganze Jahr über Reizvolles zu bieten. Die Heideflächen, Birkenalleen und Wälder sind ein idealer Raum für ausgedehnte Spaziergänge und Wanderungen, für Fahrradtouren, Ausritte oder auch Kanutouren. Dafür dass es nie langweilig wird, sorgen Tier- und Freizeitparks, interessante Museen und moderne Erlebniswelten wie die Autostadt in Wolfsburg. Wenn Sie im Dezember in der Region unterwegs sind, müssen Sie unbedingt einen Abstecher nach Celle oder Lüneburg machen, die dortigen Weihnachtsmärkte gehören zu den schönsten im Norden.

Radeln an der Elbe

Einen deutlichen Kontrast zur Heidelandschaft bilden das Elbtal südöstlich von Hamburg und das südöstlich anschließende Wendland, die im ersten bzw. letzten Kapitel dieses DuMont Bildatlas thematisch berücksichtigt werden. Hier im einstigen Grenzgebiet hat sich eine ganz besondere und artenreiche Naturlandschaft erhalten. Am schönsten lässt sie sich mit dem Rad erkunden, immer an der Elbe entlang (im März 2011 wurde der Elberadweg zum siebten Mal in Folge zum beliebtesten deutschen Fernradweg gekürt) –, aber verpassen Sie nicht den Abstecher zu den Rundlingsdörfern im Wendland. Vor allem Lübeln oder Satemin laden unbedingt zur Rast ein!
Herzlich Ihre

Birgit Borowski
Programmleiterin DuMont Bildatlas

20–37
ALT UND JUNG

Geschlossen erhaltene mittelalterliche Bebauung und quirliges,
junges Stadtleben bilden in Lüneburg einen reizvollen Kontrast.

DuMont Aktiv

37   **Lüneburg geführt erleben**
      Mit Hebamme, Malerin oder
      Nachtwächter unterwegs.

57   **Über den Wilseder Berg**
      Wandertour zum „Höhe-
      punkt" der Heide.

77   **Im Geschwindigkeitsrausch**
      Nervenkitzel für jedes Alter
      im Heide-Park Soltau.

93   **Sportliches Wolfsburg**
      Stadtabenteuer mit Fahrrad,
      Segway oder Wakeboard.

111 **Radtour durchs Wendland**
      Ökologisch korrekt zu den
      Rundlingsdörfern.

38–57
ROSA UND IMMERGRÜN

*Wenn die Heide blüht und die Erika
ruft, gibt es kein Halten – auch nicht
für die vielen Kutscher, die den Gästen
gern ihre reizvolle Heimat zeigen.*

DuMont Thema

50–52
GEMÄCHLICH UND HUNGRIG

*Schnucken gehören zum Bild der Heide wie Erika, Ginster
und Wacholder. Unter den wachsamen Augen ihres Schäfers
betätigen sich die Herdentiere als Landschaftspfleger.*

DuMont Thema

72–73
HELL UND GLATT

Kartoffelanbau hat in der Lüneburger
Heide eine lange Tradition. Nun hat
sogar die Europäische Union die Heide-
knollen geschützt.

Titelthemen

37, 93 STADTBESICHTIGUNG ANDERS *Lüneburg und Wolfsburg*
50 JEDEN TAG IM DIENST *Das Leben eines Schäfers*
111 ÖKOLOGISCH KORREKT *Radtour durchs Wendland*

IMPRESSIONEN
_____

8 *Die Vielfalt der Lüneburger Heide in Bildern: Volksfest und Heideblüte, Kloster und russisch-orthodoxe Kirche, Autostadt und Naturerlebnis.*

LÜNEBURG · NORDHEIDE
_____

20 **Auf Salz gebaut**
Eine Altstadt voll jungem Leben, prächtige Bürgerhäuser, stattliche Kirchen, ein romantisches Kloster und die Nähe der Nordheide machen Lüneburg zum attraktiven Ganzjahresziel.

32 DuMont Thema
Schnucke trifft Leopard
Der private Wildpark Lüneburger Heide fasziniert mit großem Artenspektrum und originellen Angeboten.

34 *Straßenkarte*
35 *Infos*

NATURPARK HEIDE
_____

38 **Das Herz der Lüneburger Heide**
Rund um den Wilseder Berg hat die Natur ein Refugium gefunden. Am Rand des Naturparks warten fesselnde zukunftsorientierte Freizeiterlebnisse.

50 DuMont Thema
Jeden Tag im Dienst
Das idyllisch scheinende Dasein eines Schäfers ist harte, anstrengende Arbeit.

54 *Straßenkarte*
55 *Infos*

CELLER LAND
_____

58 **Fachwerk und Achterbahn**
Im Umkreis von Celle, einer der schönsten Fachwerkstädte des Nordens, liegen bedeutende Klöster. Soltau lockt mit Nervenkitzel im Heide-Park.

72 DuMont Thema
Tolle Knolle für Kochtopf und Industrie
Lüneburger Heidekartoffeln sind europaweit ein Begriff.

74 *Straßenkarte*
75 *Infos*

UELZEN · SÜDHEIDE
_____

78 **Bunte Kunstwelten**
Zwischen der Zuckerstadt Uelzen mit ihrem Hundertwasser-Bahnhof und der Autohochburg Wolfsburg stehen die meisten Windmühlen in der Südheide.

88 DuMont Thema
Süße Heide – Zucker & Co.
Noch vor gut 200 Jahren galt Zucker als Luxusprodukt für die Fürstenhöfe.

90 *Straßenkarte*
91 *Infos*

WENDLAND · DRAWEHN
_____

94 **An den Ufern des Elbstroms**
Die teils steilen Ufer der Elbe überraschen in Norddeutschlands oftmals vergessenem Hinterstübchen. Das Spektrum des Sehenswerten umfasst auch den Atommüllstandort.

104 DuMont Thema
Gorlebens andere Strahlkraft
Ökologische Landwirtschaft, Kunst und Kunsthandwerk sind im Wendland so lebendig wie kaum irgendwo im Norden.

108 *Straßenkarte*
109 *Infos*

ANHANG
_____

112 *Service – Daten und Fakten*
117 *Register, Impressum*

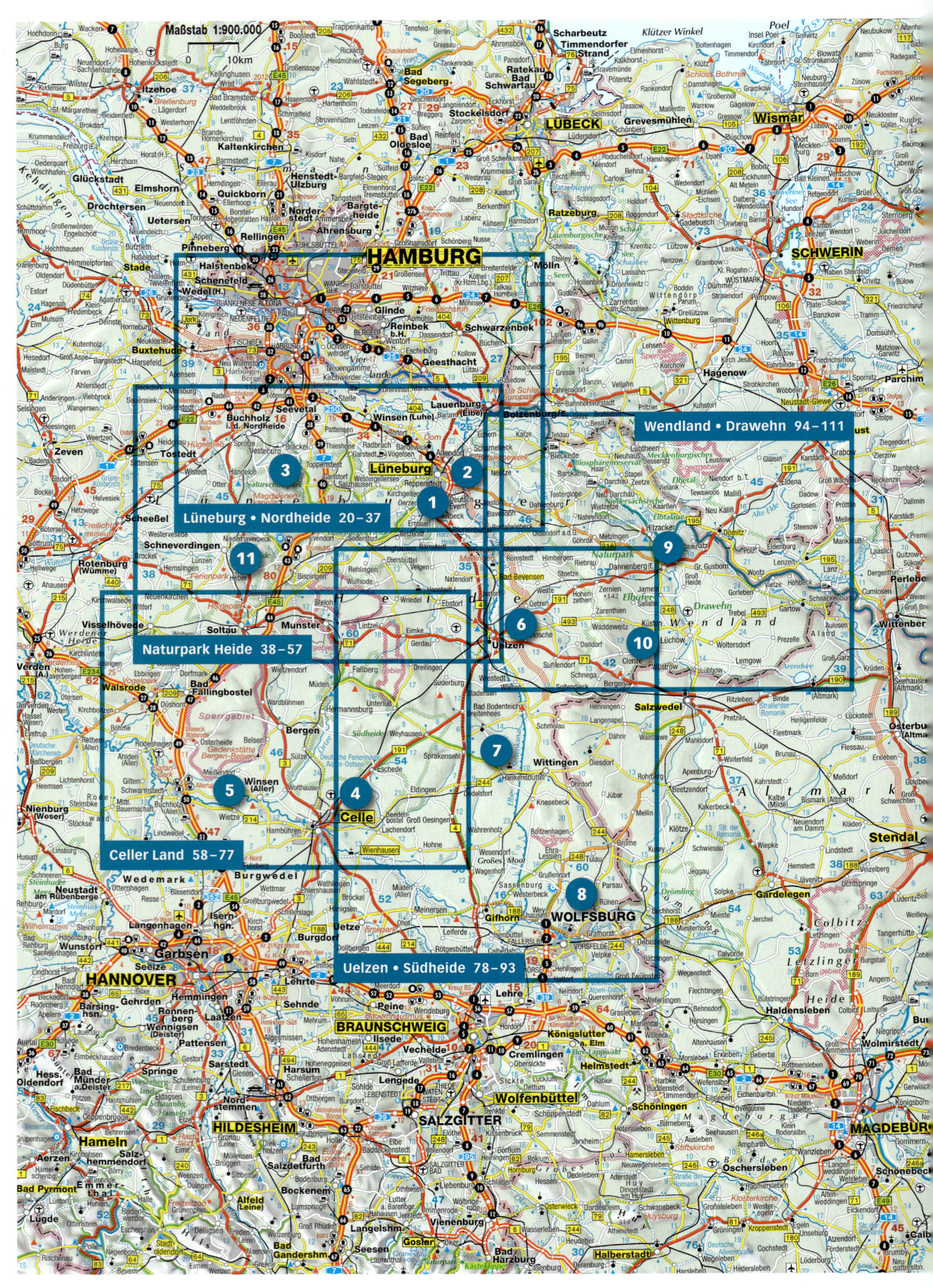

Maßstab 1:900.000

Wendland · Drawehn 94–111

Lüneburg · Nordheide 20–37

Naturpark Heide 38–57

Celler Land 58–77

Uelzen · Südheide 78–93

Topziele

Erlebnisse, die Sie auf keinen Fall versäumen sollten, sowie die bedeutendsten Sehenswürdigkeiten haben wir hier für Sie zusammengestellt. Auf den Infoseiten sind die Highlights als ▶ TOPZIEL gekennzeichnet.

KULTUR

1 *Rathaus Lüneburg*
Prächtige Holzschnitzereien und Wandmalereien lohnen eine Führung.
Seite 35

2 *Deutsches Salzmuseum*
Tausend Jahre lang sorgte das Weiße Gold für Lüneburgs Wohlstand.
Seite 35

3 *Kunststätte Bossard*
Mitten in der Heide finden Kunstfreunde einen expressionistischen Kulturschatz.
Seite 37

4 *Schloss Celle*
Über 400 Jahre fürstlicher Pracht offenbaren sich in der Herzogsresidenz.
Seite 75

5 *Deutsches Erdölmuseum*
Die erste Ölbohrung der Welt fand in Wietze in der Lüneburger Heide statt.
Seite 76

6 *Bahnhof Uelzen*
Friedensreich Hundertwasser war nie in Uelzen – Spuren hinterließ er dennoch.
Seite 91

ERLEBEN

7 *Otterzentrum Hankensbüttel*
Fischotter, Dachs oder Hermelin bekommt man sonst selten zu Gesicht.
Seite 92

8 *Autostadt Wolfsburg*
Weit mehr als ein Automuseum: die ganze Welt der Mobilität.
Seite 92

9 *Archäolog. Zentrum Hitzacker*
Ausprobieren, wie man vor 3000 Jahren an der Elbe lebte. Anfassen der Objekte ist ausdrücklich erlaubt.
Seite 109

10 *Rundlingsmuseum Lübeln*
Warum ist das Rundlingsdorf rund? In Lübeln findet man die Antwort.
Seite 110

NATUR

11 *Pietzmoor*
Das renaturierte Hochmoorgebiet bei Schneverdingen erschließt sich über Bohlen- und Plankenwege.
Seite 55

STADTRUMMEL

Zum vierzigsten Mal jährt sich 2011 das Lüneburger Stadtfest, das Jahr für Jahr über 100 000 Besucher aus der Region anlockt. Ein Ereignis, das nicht auf einen Festplatz am Rande der historischen Salzsiederstadt verbannt ist, sondern mitten zwischen reizvoller Backsteingotik über die Bühne geht. Riesenrad und andere Fahrgeschäfte werden traditionell Am Sande aufgebaut, Lüneburgs schönstem und ältestem Platz, der wie ein Freilichtmuseum mittelalterlicher Giebelarchitektur wirkt.

HEIDEPOESIE

Im Spätsommer entfaltet die Heidelandschaft ihre volle Pracht, und die Schönheit der Natur übersteigt alle menschliche Vorstellungskraft. Streng und aufrecht stehen Wacholdersträucher, durch ihre Stacheln vor Verbiss geschützt, wie Wach-soldaten im rosa Blütenmeer.

BILDERPRACHT

Nach der Reformation zu evangelischen Damenstiften umgewidmet, blieb in den Heideklöstern eine eigenständige christliche Tradition lebendig. Seine einzigartigen Wandmalereien aus dem 14. Jahrhundert, mit Motiven aus dem Leben Christi und aus dem menschlichen Jahreslauf, mit Rankwerk und Ornamenten, machen das Kloster Wienhausen zum Höhepunkt jeder Kunstreise durch die Lüneburger Heide.

(UN)ORTHODOX

Fünfzehn Originalmühlen und über fünfzig maßstabsgetreue Modelle vereinen sich zum Gifhorner Mühlenmuseum, einmalig in Westeuropa. Einer der Hauptblickfänge hat weder mit Wind- noch Wasserkraft zu tun. Die russisch-orthodoxe Holzkirche mit ihren acht zum Teil vergoldeten Kuppeln entstand nach einem zentralrussischen Vorbild am Rand des Museumsgeländes. Jeden Sonntag finden in dem 1996 eingeweihten Nachbau Gottesdienste statt.

AUSHÄNGESCHILD

Wer Wolfsburg hört, denkt an VW. In seiner „Autostadt" präsentiert der Volkswagenkonzern die Firmengeschichte und das Thema Mobilität auf unkonventionelle Weise. Doch Fortbewegung ist nicht aufs Auto beschränkt. Ein Fußgängersteg verbindet die Autostadt mit dem ICE-Bahnhof; darunter findet sich der Schiffsanleger für Rundfahrten auf dem Mittellandkanal.

PEDALWANDERN

Drei gut ausgeschilderte Radfernwege plus zahlreiche kleinere Rundwege, das ergibt insgesamt über 2000 Radkilometer. Die Lüneburger Heide mit ihren nur kurzen Steigungs- und Gefällstrecken ist für Genussradler ideal. Flüsse, Seen und verträumte Dörfer wechseln mit sattgrünen Wäldern und blühenden Heideflächen wie hier bei Bispingen ab.

Auf Salz gebaut

Die alte Salz- und Hansestadt Lüneburg gab der ganzen weiten Region zwischen Elbe, Weser und Aller ihren Namen. Von der klassischen Heidelandschaft ist in der Nordheide nur ein Hauch verblieben, die Nähe Hamburgs prägt ihr modernes Gesicht. Eine Vielzahl von Museen erzählt die Geschichte von Mensch, Technik und Natur, das Kloster Lüne und die Kunststätte Bossard sind Eckpfeiler regionaler Kunst.

Der Stintmarkt an der Ilmenau ist Lüneburgs Kneipenviertel. Hier schlug schon im Mittelalter das Herz der Stadt.

Lüneburgs Rathaus als Hintergrundkulisse für den Wochenmarkt und für die Straße An der Münze. Eine Kostbarkeit des Rathauses ist die Gerichtslaube aus dem 14. Jahrhundert. Das Fassadendetail schmückt die Alte Raths-Apotheke (im Uhrzeigersinn).

Blick aus dem Stadtfest-Riesenrad auf den
Platz Am Sande und die St.-Johannis-Kirche

*„Lüneburg ... ist eine dieser
Städte, die uns befriedigen,
selbst wenn wir Regenmantel,
umgekrempelte Hosen und
wasserdichten Hut mit in den
Kauf nehmen müssen."*

Hermann Löns

Wo beginnt die Lüneburger Heide, wo hört sie auf? Fest steht: Jeder Ort, der sich zur Region zählen will, muss im Gebiet des einstigen Herzogtums Braunschweig-Lüneburg sowie im 1885 geschaffenen und 2005 aufgelösten Regierungsbezirk Lüneburg liegen.

SCHWEIN GEHABT

Die Dominanz Lüneburgs gründet sich historisch auf ein unscheinbares Mineral und eine sich im Schlamm suhlende Sau. Jäger spürten sie in grauer Vorzeit im Morast auf und sahen, wie sich ihre dunklen Borsten beim anschließenden Sonnenbad schimmernd weiß färbten. Die Sole von Lüneburg war entdeckt. Als Kaiser Otto I. die Zollrechte an der Saline dem Lüneburger Kloster St. Michaelis übertrug (956), war sie bereits ein florierender Betrieb, der erst 1980 seine Arbeit einstellte. Das Deutsche Salzmuseum, das sich die letzten erhaltenen Salinengebäude mit einem Supermarkt teilt, erzählt anschaulich von der Salzgewinnung und vom Salzhandel, den historischen Grundlagen für Lüneburgs Wohlstand. Die Sole spült immer noch Geld in den Stadtsäckel, heute durch die Salztherme SaLü im Kurzentrum der Stadt. Die Reste der glückbringenden Wildsau hängen nach wie vor in der Alten Kanzlei des Rathauses.

FREI UND GERECHT

Das Lüneburger Rathaus will – wie so viele alte Häuser der Stadt – mehr scheinen, als es ist. Das deutlich niedrigere Puzzle aus Rathausteilen, seit dem 13. Jahrhundert Stück für Stück herangewachsen, verbirgt sich hinter einer von Barock und Historismus geprägten überhöhten Schauwand. Sie gaukelt dem auf dem Markt stehenden Betrachter einen schlossähnlichen Repräsentationsbau vor und betont damit den Anspruch der Ratsherren gegenüber ihrem Landesherrn auf – relative – Freiheit und Unabhängigkeit. Schon die Skulpturen an der Fassade zeigen die Ambitionen des Rats: In seiner Gesetzgebung und Zivilrechtsprechung fühlt er sich der durch Justitia personifizierten Gerechtigkeit und den großen Gesetzgebern Justinian, Karl dem Großen, Friedrich II. und Karl V. verpflichtet. An seine „hehre" Aufgabe erinnert auch ein faszinierendes Relief aus der Werkstatt des Albrecht von Soest in der Großen Ratsstube. Es zeigt vielfigurig das Jüngste Gericht als Mahnung an die irdischen Richter, dass auch sie eines Tages zur Rechenschaft gezogen würden.

REICH AN FORMEN UND FARBEN

Beim Streifzug durch die von den Türmen dreier mittelalterlicher Kirchen überragte Altstadt beeindruckt die ar-

Speisesaal für höhere Töchter: Sommer-Remter aus
dem 16. Jahrhundert im Kloster Lüne

Gotisches Altardetail in der Klosterkirche Lüne

Der berühmten Orgel in St. Johannis soll Anfang des
17. Jahrhunderts der junge J. S. Bach gelauscht haben.

Blick vom Wasserturm über Lüneburgs Dächer, im Vordergrund St. Johannis

Handstein mit bronzenem Brunnenaufbau in der Eingangshalle von Kloster Lüne

Salzgewinnung im Mittelalter

Ursprünglich wurde das Salz an der Erdoberfläche gewonnen, aber bald schon folgten die Lüneburger dem salzhaltigen Wasser unter Tage.
Die Quellen in bis zu 35 Meter Tiefe wurden durch Stollen, sogenannte Fahrten, erschlossen. Hier fingen die Fahrtknechte die Sole in Solekisten auf und leiteten sie durch ausgehöhlte Baumstämme zum zentralen Sod (Solebrunnen). Die Knechte beseitigten auch die Kalk- und Gipsablagerungen an den Quellen und erneuerten die Filter aus getrocknetem Heidekraut. Sodeskumpane in weißen Leinenkitteln zogen die mit Sole gefüllten Eimer ans Tageslicht und schütteten den Inhalt in hölzerne Rinnen, die zu den Siedehäusern führten. Bis 1797 gab es 54 sternförmig um den Solebrunnen errichtete hölzerne Siedehäuser, zwecks Energieersparnis dicht an dicht in die Erde hineingebaut, nur ihre Strohdächer schauten heraus. In den Siedehäusern standen jeweils vier rechteckige Siedepfannen aus Blei, einen Meter

Arbeit an der historischen Siedepfanne

lang und breit, auf einem Lehmofen. Frauen trugen das Brennholz heran und die noch glühende Asche nach draußen. Kinder halfen mit, ganze Familien waren in der Saline beschäftigt, bis zu 300 Menschen. Das Feuer unterhielten die Sülzknechte Tag und Nacht, bis zu dreizehn Siededurchgänge pro Tag waren möglich. Nur so war eine Jahresproduktion von mehr als 20 000 Tonnen Salz zu erreichen.

chitektonische Geschlossenheit. Selbst der Kaufhausriese schräg gegenüber vom Rathaus verbirgt sich dezent hinter vielen verschiedenen historischen Fassaden. Auffällig ist die überdurchschnittlich große Zahl unabhängiger, nicht zu den bekannten Ketten gehörender Geschäfte, die den Bummel zu einem andernorts seltenen Vergnügen machen. Cafés und Restaurants haben sich in fast jeder Altstadtgasse angesiedelt, „tote Winkel" gibt es kaum. Dafür überall alte Häuser mit variantenreich verzierten Ziegelsteinfronten und Giebeln, die nach dem Vorbild des Rathauses mehr Hausvolumen vorgaukeln als tatsächlich vorhanden. Besonders schön sind die alten Häuserfronten am historischen Markt für die Fernhändler. Der 225 Meter lange und 40 Meter breite Platz wird heute Am Sande genannt. Am oberen Ende zeigt der 1548 erbaute Schütting mit seinem Taustabschmuck – Tauen gleichendem Ziegelsteindekor – und seinen dunkel glasierten Steinen, dass Lüneburg keine rote Klinker-, sondern eine an Farbnuancen und Backsteinformen reiche Stadt gewesen ist. Die Giebelformen geleiten durch die Jahrhunderte, vom schlichten Dreiecksgiebel über den ideenreich geschmückten Staffel- bis hin zum mit angedeuteten Spiralen verzierten Volutengiebel des 17. und 18. Jahrhunderts.

Der Hafenkran an der Ilmenau gehörte einst zu den
leistungsfähigsten in ganz Norddeutschland.

In Lüneburgs heimeligen Altstadtgassen gibt es
keine „toten" Winkel.

Der ehemalige Abtswasserturm beherbergt
heute Hotelgäste in märchenhaften Suiten.

ALTER HAFEN, NEU BELEBT

Von der Salzgewinnung profitierten vor
allem Adel und Kirche, aber auch ein
Großteil der Bürger gelangte durch den
Salzhandel zu Geld. Hauptabnehmer
war ab dem 13. Jahrhundert die Hansestadt Lübeck, deren Kaufleute das Salz
in den gesamten Ostseeraum bis weit
nach Russland hinein zum Pökeln von
Fisch und Fleisch exportierten. Beim
Transport konkurrierte die über Land
führende Alte Salzstraße mit den Wasserwegen, schließlich liegt Lüneburg an
der Ilmenau. An den alten Hafenbetrieb
erinnert ein mächtiger hölzerner Kran,
der in seiner mittlerweile restaurierten
Form allerdings erst aus dem Jahr 1797

stammt. In der lebhaften Idylle des
Wasserviertels kann man im Sommer
auf Café- und Restaurant-Terrassen direkt am Fluss sitzen – den Kran und
alte Wassermühlen vor Augen, das Rauschen der Ilmenau im Ohr. Im ehemaligen Abtswasserturm, 1530 für die Wasserversorgung der Lüneburger Brauereien erbaut, kann man heute sogar
wohnen – er ist Teil eines Hotels.

FÜR HÖHERE TÖCHTER …

Wo Wohlstand herrscht, gedeiht die
Kunst. Das war auch in Lüneburg der
Fall, bis Herzog Ernst der Bekenner in
den 1520er-Jahren die Reformation in
seinem Herzogtum einführte. Schlichte

Eckhard Meyer in seiner Mühle in Bardowick,
voller Einsatz beim Military-Turnier in Luhmühlen,
imposanter Schiffsfahrstuhl bei Scharnebeck
und die über 800 Jahre alte St.-Johannis-Kirche
in Salzhausen (im Uhrzeigersinn)

Kirchen waren nun angesagt, der alte Schmuck wurde zerstört oder beiseite geräumt, die meisten Klöster geschlossen. In der Heide überdauerten sechs von ihnen als Nonnenklöster, in denen der niedere Adel und das begüterte Stadtbürgertum seine unverheirateten Töchter wohl behütet wusste. Eines dieser Heideklöster steht auf Lüneburger Stadtgebiet: das im 13. Jahrhundert gegründete Kloster Lüne. Mit stillen Innenhöfen, grün überrankten Fassaden und tief heruntergezogenen Ziegeldächern wirkt es heimelig. Innen rufen die Zellen im Süd- und Westflügel, das Sommer- und Winterrefektorium und der erhaltene Teil des Kreuzgangs ein Bild mittelalterlichen Lebens vor Augen.

... UND EINFACHES LEBEN

Gleich hinter Kloster Lüne beginnen Nordheide und Elbmarsch mit modernen Kleinstädten wie Buchholz, Winsen an der Luhe und Hanstedt. Hier liegt auch Bardowick mit seinem mittelalterlichen Bauerndom. Wie einfache Bauern und Handwerker in der fruchtbaren Marsch und der viel ärmeren Nordheide zwischen 1600 und 1950 lebten, zeigt das schon am Hamburger Stadtrand gelegene Freilichtmuseum am Kiekeberg, einer der höchsten Erhebungen in der von eiszeitlichen Gletschern geschaffenen und von Laubwäldern bestandenen Altmoränenlandschaft der Harburger Berge. Bentheimer Landschweine, Hol-

In der Brennerei wird Haidmärker Korn destilliert

steiner Kaltblüter, Kühe, Schafe und Hühner sorgen für authentischen Stallgeruch, in der Brennerei wird Haidmärker Korn destilliert, im Holzofen backen Brote und Kekse. Die Nähe zur Millionenmetropole ermöglicht einen umfangreichen Veranstaltungskalender, der vom Schlachtfest bis zum Schmiedekurs in einer alten Dorfschmiede reicht; an ausgewählten Tagen wird von Darstellern

Bildhauerei, Malerei und Kunstgewerbe wie Töpfern
oder Weben stehen in der Kunststätte Bossard ...

Bei den Erlebnistagen im Freilichtmuseum am
Kiekeberg wird Apfelkuchen gebacken.

... harmonisch im Einklang mit Architektur und Gartengestaltung.

in historischer Kleidung ein Hoftag im Jahr 1804 gelebt.

DURCH DEN „HEIDE-SUEZ"

Kein Heidebauer hätte es sich je vorstellen können: Seit den 1990er Jahren ist die Heideregion sogar zum Traumschiffziel avanciert. Der Elbe-Seitenkanal macht es möglich. Flusskreuzfahrten von Bremen nach Lübeck oder von und bis Berlin steuern Häfen mit – nun ja – nicht ganz so klangvollen Namen wie Wolfsburg und Uelzen bevorzugt zur Zeit der Heideblüte an und bieten ihren Passagieren sogar die Möglichkeit, bei Scharnebeck mit dem ganzen Schiff Fahrstuhl zu fahren. Der 115 Kilometer lange Kanal muss zwischen dem Mittellandkanal bei Edesbüttel und der Elbe bei Artlenburg nämlich 61 Meter Höhenunterschied überwinden. Dazu dienen zwei Schleusen, eine bei Uelzen mit einer Hubhöhe von 23 Metern und eben das Schiffshebewerk Lüneburg bei Scharnebeck. Zwischen seinen grauen Betontürmen bewegen sich rote Stahltröge an je 240 Stahlseilen auf und ab, jeder 100 Meter lang und – ob mit oder ohne Schiff – beeindruckende 5800 Tonnen schwer.

GESAMTKUNSTWERK

Immer wieder ist die Heide für Überraschungen gut. In Lüllau bei Jesteburg schuf der außerhalb der regionalen Kunstszene kaum bekannte Schweizer Kunstprofessor Johann Michael Bossard zusammen mit seiner aus Buxtehude stammenden Frau Jutta zwischen 1926 und 1950 ein Gesamtkunstwerk aus Wohn- und Atelierhaus, Kunsttempel und Garten, das beide als Meister vieler Stile zwischen Heimatstil und Expressionismus ausweist. Dass das Werk der Bossards während der Zeit des Nationalsozialismus nicht als entartet eingestuft wurde, hatte es wohl weniger dem Hang zur germanischen Mythologie als ganz einfach der Weltferne des Anwesens in der Nordheide zu verdanken.

Auch ein originalgetreues Mittagessen aus längst vergangener Zeit gehört zum Programm.

Schnucke trifft Schneeleopard

Gute Zoos stellen nicht nur Tiere zur Schau, sondern kümmern sich auch um Tier- und Artenschutz, wollen informieren und zu ökologischem Engagement animieren. Der private Wildpark Lüneburger Heide macht da keine Ausnahme – und überrascht mit vielen originellen Angeboten für Kinder und Erwachsene.

Sibirische Tiger, Polarfüchse aus der Arktis, Schneeleoparden aus dem Himalaya oder Chamäleons von der Arabischen Halbinsel gehören nicht notwendigerweise in die Lüneburger Heide. Doch der 1970 gegründete Wildpark wollte von Anfang an die engen Grenzen ähnlicher Einrichtungen sprengen, um gegen die zoologischen Gärten der Großstädte bestehen zu können. So erweiterte sich das Artenspektrum von Jahr zu Jahr.

IM ZEICHEN DER LIEBE

Stets sind gute, neue Ideen gefragt, um die Attraktivität zu steigern. Auch mancher Gag ist dabei. So ließ man sich für Verliebte ein Spezialprogramm einfallen, bei dem das Paar binnen einer Stunde viel über das Liebesleben der Tiere erfährt. Kleine und große Besucher können ein einstündiges, ganz persönliches Rendezvous mit ihrem Lieblingstier buchen, einen Tag mit dem Falkner oder der Wolfsexpertin verbringen, einen halben Tag lang den Tierpfleger begleiten und dabei einen Blick hinter die Kulissen werfen.

Dort wird vor allem Futter aufbereitet. Die über tausend Tiere aus mehr als 120 Arten fressen täglich etwa hundert Kilo Fleisch und Fisch, vierzig Ballen Heu, 210 Kilo Kraft-

Tiger und Wölfe würde man nicht unbedingt in der Lüneburger Heide erwarten. Das große Artenspektrum steigert die Attraktivität des Parks und hält ihn konkurrenzfähig.

Westernfest und Greifvogelschau sind nur zwei der zahlreichen Veranstaltungen, die große und kleine Tierfreunde begeistern.

futter, achtzig Kilo Gras, sowie Rüben und Gemüse. Um die zwanzig Kilo altes Brot liefert ein Bäcker täglich für die Bären an.

Einen eigenen Tierarzt beschäftigt der Wildpark nicht. Bei Bedarf wird der Veterinär aus dem benachbarten Hanstedt gerufen, um die Zähne des Wilds kümmert sich ein Zahnarzt, der ansonsten Menschen behandelt. Etwa vierzig Mitarbeitern gibt der Park ganzjährig Arbeit, in der Hochsaison kommt noch einmal die gleiche Zahl hinzu. Die beiden Ausbildungsplätze für Tierpfleger sind stets hart umkämpft, die Anwärter für ein Schulpraktikum stehen Schlange.

STREICHELZOO UND ARTENSCHUTZ

Kindern gilt die besondere Aufmerksamkeit des Wildpark-Teams. Natürlich gibt es einen Streichelzoo mit Heidschnucken, Ziegen, Alpakas, Ponys, Eseln und Damwild sowie einen großen Spielplatz. Bei Geburtstagspartys können die Kleinen die Spuren verschiedener Tiere ausgießen, zu Ostern steht eine Eiersuche auf dem Programm. Schulklassen nutzen die Seminarräume der Zoo-Schule, Projekte werden gemeinsam mit den Lehrern vorbereitet.

Als Privatunternehmen ist der Wildpark in erster Linie ein Wirtschaftsbetrieb, er engagiert sich aber auch für Tierschutz und Artenpflege. Über hundert verletzte Wildvögel werden hier jedes Jahr gesund gepflegt und nach Möglichkeit wieder in die Freiheit entlassen. Im Rahmen von Artenschutzpro-

grammen hat man die Auswilderung von in Gefangenschaft geborenen Wanderfalken, Uhus und Schleierfalken unterstützt und bei der Auswilderung des Luchses im Nationalpark Harz mitgewirkt. Für Schneeleoparden ist der Wildpark als Koordinator der Nachzucht europaweit tätig. So können geschlechtsreife Jungtiere zwischen verschiedenen Zoos und Tierparks ausgetauscht werden, um Inzucht zu verhindern.

ROAR 'N' SNORE

Für die kommenden Jahre hat die Inhaberfamilie Tietz mit ihren Mitarbeitern schon viele neue Pläne. Vor allem will man die Anlage eines Blockhütten- und Tipi-Dorfes vorantreiben, in dem die Gäste übernachten und auf nächtliche Pirsch gehen können. „Roar 'n' Snore" wird sich das Angebot nennen – Brüllen und Schnarchen.

ÖFFNUNGSZEITEN UND EINTRITTSPREISE

März–Okt. tgl. 8.00–19.00, Nov.–Feb. 9.00–16.30 Uhr; Eintritt 9 €, Kinder von 3 bis 14 Jahren 7 €, Familienkarte (2 + 2) 30 €, jedes weitere Kind 6 €. Wildpark Lüneburger Heide, Am Tierpark 1, 21271 Nindorf, Tel. 0 41 84 / 8 93 90, www.wild-park.de.

Infos

Am Nordrand der Heide

Die Nordheide um Buchholz und Hanstedt empfiehlt sich als Ferienregion für alle, die ländliche Natur und städtische Kulturvielfalt gleichermaßen genießen möchten. Immerhin hält Lüneburg ein ausgefeiltes touristisches Angebot für einen erlebnisreichen Besuch bereit.

01 LÜNEBURG

Lüneburg (73 000 Einw.) ist immer eine Reise wert. Norddeutsche Backsteinarchitektur prägt die Altstadt, deren Kirchen und Rathaus wie das Kloster Lüne kunsthistorische Höhepunkte jeder Heidetour sind. Der Wohlstand von einst war auf Salz gebaut, das man ab 956 als nahezu gesättigte Sole aus der Erde pumpte. Die Herzöge von Braunschweig-Lüneburg residierten hier nur kurz (1267–1378), hanseatischer Kaufmannsgeist gestaltete das Gesicht der Stadt. Heute sorgen Hamburg-Pendler und die 1980 in einer ehem. Kaserne gegründete Universität für junges Leben. Die Stadt ist weiterhin traditionsreicher Bundeswehrstandort, die Sole wird nur noch zu Kurzwecken genutzt. Der heutige Hafen für Massengüter liegt am Elbe-Seitenkanal.

Sehenswert

Am Sande, schönster Platz der Stadt, im Mittelalter Zentrum des Lüneburger Fernhandels, ist auf drei Seiten von hohen Backsteinhäusern mit vielfältigen Giebelformen begrenzt; besonders stattlich der Schütting (1548) auf der Westseite. Im Osten senkt sich der Platz zur Kaufmannskirche **St. Johannis** mit 108 m hohem Turm; die

Tipp

Ein sinnvolles Projekt

Unter hohen Bäumen direkt vor dem Portal von St. Johannis stehen die Tische des Cafés „Sandkrug", das auch innen etwa 40 Plätze bietet. Frühstück und Mittagstisch sind preiswert, Kuchen und Torten hausgemacht, Freude und Freundlichkeit der Mitarbeiter auffallend. Die meisten haben ein Handicap, denn der Sandkrug, seit über 25 Jahren von der Lebenshilfe Lüneburg-Harburg betrieben, bietet zehn Menschen, die sonst kaum Beschäftigung finden würden, einen sinnvollen Arbeitsplatz. Wer hier einkehrt, kann genießen und zugleich Gutes tun.

Café-Restaurant Sandkrug,
Am Sande 27, Tel. 0 41 31 / 4 12 77;
Mo.–Fr. 9.00–19.00 Uhr, Sa. 10.00–17.00 Uhr

5-schiffige Hallenkirche, älteste der Stadt, entstand im 14. und 15. Jh. (April–Okt. So.–Mi. 10.00 bis 17.00 Uhr, Do.–Sa. bis 18.00 Uhr, sonst unregelmäßig). An den Betrieb im alten **Lüneburger Hafen** erinnert der 1797 errichtete **Alte Kran** am Ufer der Ilmenau. Im gegenüberliegenden **Wasserviertel** mit vielen Kneipen zeugen Straßennamen wie Stintmarkt oder Fischmarkt von einstigem Gewerbe. Kirche der Fischer, Schiffer und Hafenarbeiter war die 5-schiffige Basi-

Lüneburg – junges Leben vor alter Backsteingotik

lika **St. Nicolai** (15. Jh., grundlegend verändert im 19. Jh.) mit Sternengewölbe und Wandelaltar, der eine gemalte Stadtansicht aus der Zeit um 1430 zeigt (Lüner Straße; Jan.–März 10.00 bis 16.00, sonst bis 18.00 Uhr). Profanes Prunkstück der Stadt ist das **Rathaus ▸TOPZIEL** am Markt (13. Jh., Barockfassade von 1720; Tel. 0 41 31 / 30 92 30; Führungen Di.–Fr. 11.00, 12.00, 14.30, 16.00, Sa./So. 11.00, 14.00 Uhr); das Glockenspiel aus Meißener Porzellan im Rathausturm erklingt – außer bei Frost – tgl. 8.00, 12.00, 18.00 Uhr. Dritte Hauptkirche ist die gotische Hallenkirche **St. Michaelis** (14., 15. und 18. Jh.), die einst zu einem Benediktinerkloster gehörte (Johann-Sebastian-Bach-Platz; Mo.–Fr. 10.00 bis 16.00, So. 14.00–16.00 Uhr).
Etwa 1 km nördl. der Altstadt steht das romantische Gebäudeensemble **Kloster Lüne** (1372; heute ev. Damenstift) mit Brunnenhof, Kreuzgängen und einem Museum für mittelalterliche Teppiche und Weißstickereien (Am Domänenhof, Tel. 0 41 31 / 5 23 18, www.kloster-luene.de; Führungen April–Mitte Okt. Di.–Sa. 10.30, So. 11.30 sowie Di.–So. 14.30, 15.30 Uhr, Museum Di.–Sa. 10.30–12.30 und 14.30–17.00 Uhr).

Museen

Bundesweit einzigartig ist das **Deutsche Salzmuseum ▸TOPZIEL** (Sülfmeisterstraße 1, Tel. 0 41 31 / 4 50 65, www.salzmuseum.de; April bis Sept. Mo.–Fr. 9.00–17.00, Sa./So. ab 10.00, sonst tgl. 10.00–17.00 Uhr) in Teilen der erst 1980 stillgelegten Salzfabrik; nach Voranm. können Besucher selbst Salz sieden. Weniger spektakulär ist das nahe **Brauereimuseum** (Heiligengeiststr. 39, Tel. 0 41 31 / 4 48 04, www.brauerei museum-lueneburg.de; Di.–So. 13.00–16.30 Uhr) im alten Sudhaus der Kronen-Brauerei. Außer Objekten zur Geschichte Ostpreußens und der Deutschbalten besitzt das **Ostpreußische Landesmuseum** (Ritterstr. 10, Tel. 0 41 31 / 75 99 50, www.ostpreussisches-landesmuseum.de; Di. bis So. 10.00–17.00 Uhr) Gemälde und Grafiken, u.a. von Käthe Kollwitz und Lovis Corinth, sowie eine große Bernsteinsammlung. Das **Museum für das Fürstentum Lüneburg** (Wandrahmstr. 10, Tel. 0 41 31 / 4 38 91, www.museum-lueneburg.de) ist bis auf Weiteres geschlossen.

Aktivitäten

Bis zu 4 % Salzgehalt – und damit mehr als das Nordseewasser – bieten die Solebecken in der **Salztherme Lüneburg SaLü** (Uelzener Str. 1, Tel. 0 41 31 / 72 30, www.salue.info; Mo.–Sa. 10.00–23.00, So. 8.00–21.00 Uhr) mit Wellenbad, Kinder-, Sauna- und Spabereich. Ein 9- und ein 18-Loch-**Golfplatz** steht Golfern auf dem Gelände des Hotels „Castanea Resort" bei Adendorf (4 km nördl.) zur Verfügung (Scharnebecker Weg 25, 21365 Adendorf, Tel. 0 41 31 / 22 33 21 30, www.castanea-resort.de).

Infos

Tipp

Schiff im Fahrstuhl

Die „Uhu II" ist eine 85 Jahre alte Hamburger Hafenbarkasse. Den Sommer über tuckert sie mehrmals täglich vom Kai am Scharnebecker Unterhafen zur Schleuse, lässt sich in einem der beiden Tröge zusammen mit Binnenschiffen und Sportbooten in die Höhe heben, wendet auf dem Elbe-Seitenkanal und fährt mit dem nächsten Trog wieder zum Unterwasser und in den Hafen zurück. Nach 45 Min. ist die erhebende Reise beendet.

Reederei Helle, Elbstr. 117,
21481 Lauenburg, Tel. 0 41 53 / 59 28 48,
www.reederei-helle.de

Einkaufen

Im FeinZeug (Waagestr. 1 a) beim Rathaus bieten Margarete von Alemann **Keramik** aus eigener Werkstatt und Angela Kotzurek selbst entworfene **Mode** und edle Stoffe an (www.aklh.de). Der klassische Treppengiebel alter Lüneburger Häuser dient Joachim Fahrenkrug als Vorlage für **Schmuck** aus Silber und Gold (Auf der Altstadt 44, www.hansegiebel.de).

Veranstaltungen

Das **Theater Lüneburg** hat als Dreispartenhaus ein festes Ensemble (An den Reeperbahnen 3, Tel. 0 41 31 / 75 20, www.theater-lueneburg.de). Die **Sülfmeistertage** (1. Okt.-Wochenende) gipfeln in einem farbenprächtigen Umzug mit über 2000 Teilnehmern.

Umgebung

Markantes Wahrzeichen des Heidedorfs **Salzhausen** (18 km westl.) ist der massive Rundturm der Kirche St. Johannis (13. Jh.) mit bis zu 2 m dicken Feldsteinmauern (Ostern–Sept. Di. bis So. 10.00–12.00 und 15.00–17.00 Uhr). International bekannt ist das Military-Turnier in **Luhmühlen** bei Salzhausen (Mitte Juni; www.luhmuehlen.de). Als herausragende technische Leistung gilt das 1976 fertiggestellte Schiffs-

---

hebewerk in **Scharnebeck** (10 km nördöstl.); ein Infozentrum ist dem Elbe-Seitenkanal gewidmet (Mitte März–Okt. tgl. 10.00–18.00 Uhr).

Information

Tourist-Information, Rathaus, Am Markt 1,
21335 Lüneburg, Tel. 08 00 / 2 20 50 05,
Fax 2 07 66 44, www.lueneburg.de

02 BARDOWICK

Der Verwaltungssitz der gleichnamigen Samtgemeinde (6300 Einw.) wird auch als „Gemüsegarten Hamburgs" bezeichnet (Möhren, Spargel). Vom 9. bis 12. Jh. war die Siedlung an zwei Furten durch die Ilmenau ein bedeutendes Fernhandelszentrum, das 972 von Kaiser Otto I. die Stadtrechte erhielt. Mit der Gründung Lübecks Mitte des 12. Jh. begann der Niedergang. Von Bardowicks Zerstörung 1189 durch Heinrich den Löwen profitierte Lüneburg erheblich.

Sehenswert

Als einziger Dom der Heide wird **St. Peter und Paul** (Mo.–Sa. 9.00–17.00 Uhr) gern bezeichnet; das spätromanische Westportal und der Unterbau der beiden Türme stammen aus dem 13. Jh. (Chorgestühl und Altarschrein 15. Jh., Bronzetaufe 1367). Der **Nikolaihof** mit kleiner Kirche (1435; Schwarzer Weg) war im Mittelalter Aussätzigenheim. Nach Voranm. kann **Meyers**

Wehrhaft: Winsens Renaissanceschloss

Windmühle (1813; Mühlenstr. 36, Tel. 0 41 31 / 1 22 06, www.meyers-windmuehle.de) besichtigt werden, eine von nur noch rund zehn kommerziell betriebenen deutschen Windmühlen. Sie ist Ausgangspunkt der Niedersächsischen Mühlenstraße (www.niedersaechsische-muehlenstrasse.de) mit 115 Wind- und Wassermühlen in der Heideregion.

Aktivitäten

8 km nördl. liegen mit Reiher- und Barumer See bei Brietlingen zwei saubere **Naturbadeseen.** Zu den besten **Golfplätzen** des Nordens zählt 6 km nördl. der Platz des Golfclubs St. Dionys (Tel. 0 41 33 / 21 33 11, www.golfclub-st-dionys.de).

Umgebung

Idyllisch ist **Artlenburg** (13 km nördl.) an einem historischen Elbübergang und einer ehem. Zollstätte der Alten Salzstraße gelegen.

Information

Tourist-Information, Schulstr. 12,
21357 Bardowick, Tel. 0 41 31 / 12 01 27,
Fax 12 01 32, www.bardowick.de

03 WINSEN/LUHE

Die Kreisstadt (33 650 Einw.) ist stolz darauf, Heimat des Goethe-Vertrauten Eckermann zu sein. 1293 als Stadt erwähnt, ist Winsen heute Verwaltungssitz des Landkreises Harburg, der, anders als die Stadt Harburg, nicht zum Land Hamburg, sondern zu Niedersachsen gehört.

Sehenswert

Das **Wasserschloss** (Schlossplatz 4, heute Amtsgericht) war Witwensitz der Herzogin Dorothea von Braunschweig-Lüneburg, die 1593 den Burgbau des 13. Jh. nahezu neu errichten ließ. Hauptkirche ist die 1400 geweihte, 2-schiffige gotische Hallenkirche **St. Marien** (Rathausstr. 3).

Museum

Außer der Beziehung zwischen Goethe und Johann Peter Eckermann (1792–1854) dokumentiert das **Heimatmuseum** im Marstall (Schlossplatz 11, Tel. 0 41 71 / 34 19, www.hum-winsen.de; Di.–So. 10.00–18.00 Uhr) anschaulich historische Handwerke wie das des Blaufärbers.

Veranstaltung

Der **Stöckter Faslamsumzug,** von Stöckte in die Winsener Innenstadt, ist einer der größten Karnevalsumzüge Norddeutschlands (Karnevalssonntag; www.faslamsbrueder-stoeckte.de).

Information

Tourist-Information Winsener Elbmarsch,
Schlossplatz 11, 21423 Winsen/Luhe,
Tel. 0 41 71 / 66 80 75, Fax 66 81 33,
www.winsen.de, www.elbmarsch.eu

04 BUCHHOLZ

Der Ausbau zum Eisenbahnknotenpunkt verwandelte das kleine Dorf in der Nordheide im frühen 20. Jh. in die größte Gemeinde (38 500 Einw.)

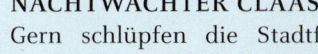

des Landkreises Harburg. Diverse Funde erinnern an nacheiszeitliche Siedlungsplätze.

Sehenswert
Im **Alaris-Schmetterlingspark** (Holm-Seppensen, Zum Mühlenteich 2, Tel. 0 41 81 / 3 64 81, www.alaris-schmetterlingspark.de; April–Sept. tgl. 9.30–17.30, Okt. 10.00–17.00 Uhr) flattern, übers Jahr verteilt, rund 130 Arten umher.

Umgebung
An Hamburgs Grenze widmet sich das **Freilichtmuseum am Kiekeberg** (Rosengarten-Ehestorf, Am Kiekeberg 1, Tel. 0 40 / 7 90 17 60, www.kiekeberg-museum.de; März–Okt. Di.–Fr. 9.00–17.00, Sa./So. 10.00–18.00, sonst Di.–So. 10.00–16.00 Uhr) dem Leben und Arbeiten in der Heide ab etwa 1600 bis in die 1950er-Jahre. Über 30 historische Gebäude wurden hier wieder aufgebaut, historische Gärten angelegt, in den Ställen stehen alte Nutztierrassen. Das ganze Jahr über gibt es zahlreiche Aktivitäten.

Information
Tourist-Information, Kirchenstr. 6,
21244 Buchholz/Nordheide,
Tel. 0 41 81 / 28 28 10, Fax 28 28 90,
www.ferienregion-nordheide.de

05 HANSTEDT

Der Ort profitiert von seiner Lage am Naturpark Lüneburger Heide und der Nähe zur Autobahn nach Hamburg. Heute ist Hanstedt (5200 Einw.) Erholungsort und Samtgemeindezentrum.

Sehenswert
Der Altar (1654) der 1881/1882 erbauten Backsteinkirche **St. Jacobi** (April–Okt. tgl. 10.00 bis 18.00 Uhr) zeigt Abendmahl und Kreuzigung als Relief. Am gotischen Flügelaltar (um 1470) der 1000-jährigen Feldsteinkirche **St. Georg** (Dorfplatz; Ostern–Okt. tgl. 8.30–19.00 Uhr) flankieren Heilige die geschnitzten Holzfiguren Christi und Mariens.

Umgebung
Die **Kunststätte Bossard** ▶ TOPZIEL bei Jesteburg-Lüllau (9 km nordwestl., Tel. 0 41 83 / 51 12, www.bossard.de; Mitte März–Okt. Di.–So. 10.00 bis 16.00 Uhr, Nov.–Mitte Jan. nur Fr.–So.; Eintrittskarte gilt auch für Museum am Kiekeberg) will mit der Gartenanlage als Gesamtkunstwerk gewürdigt werden.

Information
Verkehrsverein, Küsterhaus,
Am Steinberg 2, 21271 Hanstedt,
Tel. 0 41 84 / 5 25, Fax 89 86 30,
www.hanstedt-nordheide.de

DuMont Aktiv

Lüneburg geführt erleben

Lüneburgs Gästeführer stecken voller guter Ideen. Sie wollen nicht nur informieren, sondern auch unterhalten. Wer mit ihnen unterwegs ist, kann die Stadt am Tag und am Abend mit allen Sinnen erleben. Sogar ein Shopping Scout bietet seine Dienste an.

Etwa zwanzig verschiedene Führungen hat Lüneburg anzubieten. Die klassische Stadt- oder Rathausführung sind natürlich dabei, aber auch Traumwelten können besichtigt werden, etwa die Außendrehorte der ARD-Telenovela „Rote Rosen". Wer lieber selbst produktiv wird, durchstreift die Stadt drei Stunden lang mit Gudrun Jakuleit und malt oder skizziert, was er sieht. Bei schlechtem Wetter geht es ins Atelier über den Dächern der Altstadt.

NACHTWÄCHTER CLAAS
Gern schlüpfen die Stadtführer beiderlei Geschlechts in historische Kostüme und versetzen ihr Publikum ins Alltagsleben vergangener Zeiten zurück. Bei der Rathausführung „Salz, Gold, Kunst & Konfekt" erzählt eine mittelalterliche Bürgermeistergattin Geschichten und Anekdoten rund um die Ratsherrn und reicht zwischendurch auch mittelalterliches Konfekt. Hebamme Rieke fabuliert ganz in Weiß von Seuchen, Quacksalbern, Huren und fehlender mittelalterlicher Hygiene, beim abendlichen Rundgang mit Nachtwächter Claas trifft der Zeitreisende die Fischersfrau Trine. Die ist Welten entfernt von Shopping Scout Constanze Günther, die Einkaufsbummler zielsicher in die für sie richtigen Geschäfte geleitet.

Shopping in Lüneburg

WEITERE INFORMATIONEN

Termine: Standard-Stadtführung (maximal 30 Gäste, 90 Min. Dauer) Mai–Okt. und in der Adventszeit tgl. 11.00, Sa. auch 11.30 und 14.00, sonst Mi. und Sa. 11.00 Uhr. Alle anderen Führungen mehrmals jährlich zu wechselnden Terminen.

Ausgangspunkt: Tourist-Information am Markt (siehe dort).

Voranmeldung ist erwünscht. Bezahlt wird in der Tourist-Information oder direkt beim Stadtführer.

Typische Heideidylle

Rund um den Wilseder Berg erfüllt die Heidelandschaft alle Klischees. Wacholder und Besenheide überziehen Täler und Hänge, alte Kirchen, Heideköniginnen, Pferdekutschen und ein autofreier Weiler sorgen für Idylle. Am Rand des Naturschutzgebiets hat die Heideregion den Sprung ins 21. Jahrhundert gewagt. Hier bescheren ideenreiche Alt- und Neuheidjer Natur- und Kulturerlebnisse unerwarteter Art.

Idyllisch: Die Pferdekutsche ist in der Heide genau das richtige Verkehrsmittel.

Die Lüneburger Heide ist ein Wanderparadies, nicht nur im Steingrund bei Wilsede (links) oder in der Osterheide bei Schneverdingen (rechts). Vom Wilseder Berg schweift der Blick weit übers Land (unten).

Einem ideenreichen Mann voller Tatkraft ist die Grundlage allen Heidetourismus zu verdanken: dem Egestorfer Pastor Wilhelm Bode. Der gebürtige Lüneburger beobachtete vor hundert Jahren mit Entsetzen, dass immer mehr Heidegrundstücke von naturhungrigen Großstädtern gekauft und mit Sommerhäusern bebaut oder für die Landwirtschaft urbar gemacht wurden. Fortan predigte er neben Gottes Wort den Erhalt der Heidelandschaft.

DIE HEIDE IST MENSCHENWERK

Naturmuseum und Naturinformationshäuser in der Heide werden nicht müde zu betonen, dass sie eine Kultur- und keine Naturlandschaft ist. Der Mensch hat sie geschaffen, nur mit seiner Hilfe kann sie zumindest in Deutschland fortbestehen. Schon seit der Bronzezeit leben die Bauern auf den nährstoffarmen, für den Ackerbau kaum geeigneten Böden zwischen Weser, Elbe und Aller überwiegend von Viehzucht. Sie trieben ihre Herden in die Wälder, wo sie Eicheln, Bucheckern und jeden Sprössling fraßen. Zudem forcierten die Lüneburger Salinen ab dem frühen Mittelalter den Holzeinschlag. Auf den kargen Böden konnten die Wälder nicht schnell genug nachwachsen. Strauchheide aus viel Besen- und etwas Glockenheide, Ginster und Wacholder breitete sich immer mehr aus, die Heidschnucke war das ideale Tier zu ihrer Beweidung. Mit der Erfindung des Kunstdüngers um 1840 schrumpften die Heideflächen – und die Schnuckenweiden – rapide, da nun der lukrativerere Ackerbau profitabel betrieben werden konnte.

DIE ENTWICKLUNG GEHT WEITER

1906 gelang es Heidepastor Bode, mit Hilfe einer 6000-Goldmark-Spende den Totengrund zu erwerben, eines der schönsten Heidetäler überhaupt. 1910 beauftragte ihn der in München gegründete „Verein Naturschutzpark", der sich um die Schaffung von Naturschutzarealen in Deutschland und den Alpen

Der Festumzug beim Schneverdinger Heideblütenfest lässt alte Zeiten aufleben.

Heidschnucken gehören zu den wichtigsten
Landschaftspflegern der Heide.

Auch die Heidekönigin wird beim Heideblütenfest
in Schneverdingen gekrönt.

Kutschfahrten sind in der Heide nicht nur den Königinnen vorbehalten.

bemühte, einen Hof im Weiler Wilsede zu kaufen, zu dem auch der Wilseder Berg gehörte. Damit war der Grundstock für das heutige Naturschutzgebiet gelegt, dessen Grenzen 1921 per Gesetz gesichert wurden. Heute ist es 234 Quadratkilometer groß. Zu seiner Pflege sind sieben Schnuckenherden rund um den Wilseder Berg im Dauereinsatz. Sie halten die Heide baum- und strauchfrei, verschonen nur Wacholder und Ginster. Zudem lieben sie die jungen Triebe der Besenheide und regen diese so zu immer stärkerem Wachstum an.

2007 wurde der ehemalige Naturschutzpark, identisch mit dem heutigen Naturschutzgebiet, in den neu geschaffenen, nun insgesamt 1070 Quadratkilometer großen „Naturpark Lüneburger Heide" integriert. Der Vorteil: Für Naturparks sind leichter Fördermittel vom Staat und der Europäischen Union zu erhalten als für reine Naturschutzgebiete. Zudem wird die Zusammenarbeit der Kommunen und Landkreise gestärkt, was der Schaffung und einheitlichen Ausschilderung von Wander-, Reit- und Nordic-Walking-Wegen sowie den Sehenswürdigkeiten zugute kommt.

ZUM BEISPIEL DAS PIETZMOOR
Zu den typischen Landschaftsformen der Heide gehört das Moor. Das Pietzmoor bei Schneverdingen ist mit zwei-

einhalb Quadratkilometer Fläche größtes Hochmoor der Region. Hochmoor entsteht in von der Eiszeit geschaffenen Mulden über wasserundurchlässigem, tonigem Grund. Es besteht aus abgestorbener, von Pilzen und Bakterien aber erst teilweise abgebauter pflanzlicher Substanz und wird nur von nährstoffarmem Regenwasser gespeist, im Gegensatz zu „bodenwassergenährten" Niedermooren. Die Torfschicht im Pietzmoor ist bis zu 7,5 Meter mächtig. Da das Moor jährlich nur um einen Millimeter wächst, dürfte sein Alter bei etwa 7500 Jahren liegen. Ab dem 16. Jahrhundert wurde im Pietzmoor Torf als Brennmaterial abgebaut, seit Mitte des 19. Jahrhunderts legte man es außerdem durch

Entwässerungsgräben trocken. Bis 1960 wanderte so fast ein Viertel des Moores in die Öfen. Auf trockeneren Flächen siedelten sich Kiefern und Birken an, das Moor verlandete. Dann nahm sich der Verein Naturschutzpark des Pietzmoors an. Gräben wurden verfüllt, die Entwässerung unterbunden, sodass die

Torfschicht wieder wachsen kann. Die Renaturierung hat viele Pflanzen und Tiere zurückgelockt. Im Frühjahr sieht man den zur Paarungszeit blau gefärbten Moorfrosch, im Mai und Juni blüht das Wollgras weiß. Kreuzottern sonnen sich, der Sonnentau fängt mit seinen klebrigen Blättern Insekten. Krick- und Stockente, Schwarzkehlchen und Waldwasserläufer sind hier zu Hause, im Winter sogar Kraniche zu sehen.

RUND UM DEN WILSEDER BERG
Das schönste Wandergebiet weit und breit führt wie eine etwas schräge Acht um den autofreien Weiler Wilsede herum. Höhepunkt ist der Wilseder Berg, mit 169 Metern über dem Meeresspiegel.

Bis 1960 wanderte fast ein Viertel des Moores in die Öfen.

Der Findling auf seiner Kuppe nimmt es noch genauer, gibt 169,2 Meter an. Ein zweiter Findling erinnert an den Mathematiker Carl Friedrich Gauss, der 1822 hier oben die erste trigonometrische Vermessung des Königreichs Hannover begann. Die bewegte Landschaft lässt die Kraft von Eis und Wasser wäh-

Alte Bauernhäuser wie hier in Hörpel sind schmucke
Feriendomizile.

St. Stephanus in Egestorf ist ein Veranstaltungsort der
Konzertreihe „Musik in alten Heidekirchen".

Heidschnuckenprodukte und vieles mehr aus der Region gibt es in Wilsedes Museumsladen.

Auch urige handgefertigte Wanderstöcke entstehen in Wilsede.

„Die Heide kam in Mode. Es regnete Menschen, es hagelte Volk ... Gesangsvereine erfüllten die Luft mit Getöse."

Hermann Löns

rend der Eiszeiten erkennen, Bienenzäune, Schäferhütten und Sitzbänke sind die einzigen Bauten von Menschenhand. Im Totengrund umschließen besonders steile Hänge das von Heide und Wacholder erfüllte Trockental. Vielleicht noch schöner ist der nahe Steingrund, in dem die Gletscher besonders viele Findlinge ablagerten. Hier versteht man die Heideliebe eines Hermann Löns am besten, wenn man zur Blütezeit ganz früh am Morgen aufbricht, bevor die Besucherscharen aus Hamburg und der ganzen Nation zu Fuß und per Kutsche einfallen. So ruhig wie kurz nach Sonnenaufgang ist es sonst bestenfalls in den alten Heidekirchen von Undeloh und Egestorf zur Winterszeit.

KÖNIGINNEN ALLERORTEN

Zur Heideromantik gehört die Heidekönigin. Jedes Jahr werden gleich fünf gewählt: in Amelinghausen, Buchholz-Holm-Seppensen, Meißendorf, Undeloh und Schneverdingen. Sie zeigen Gemeinschaftsgeist, sind wie die 76 anderen deutschen „Königinnen" in der Arbeitsgemeinschaft Deutscher Königinnen organisiert, die ihren eigenen Internetauftritt hat: www.deutsche-koeniginnen.de. Dort sind aus der Region auch die Heidelbeerkönigin von Walsrode, die Kartoffelkönigin von Rotenburg an der Wümme, die Erntekönigin von Bispin-

gen-Steinbeck und die Weinköniginnen von Munster und Hitzacker vertreten. Königinnen braucht man für den Tourismus. Zur Krönung beim des Heideblütenfest in Schneverdingen mit anschließendem Festumzug kommen jährlich etwa 60 000 Besucher. Fototermine werden gekonnt in Szene gesetzt, vor allem aber repräsentieren die gekrönten jungen Damen ihre Heimatorte, ihre Landkreise und die ganze Heideregion auf Großveranstaltungen wie dem Tag der Deutschen Einheit, der Grünen Woche und der Internationalen Tourismus-Börse in Berlin. Heideköniginnen kommen auf bis zu sechzig öffentliche Auftritte pro Jahr. Dafür braucht man Zeit und Kondition, muss redegewandt sein und viel Charme ausstrahlen.

Amelinghausens Heidekönigin Alena Rörup war bei ihrer Wahl erst zarte achtzehn und absolvierte eine Ausbildung zur Fremdsprachenkorrespondentin. Ihre Schneverdinger Kollegin im selben Jahr, Anna-Kathrin Brockmann, war zweiundzwanzig, studierte in Rostock im zweiten Semester Germanistik, Geschichte und Politik. Schwer an ihrem Amt zu tragen hatte sie nicht – nur die Krone aus frischem Heidekraut, das durch Haarspray haltbarer wird, empfand sie als überraschend gewichtig. Deshalb war ihr die Winterkrone aus Kunstheide lieber.

Himmelhoch hinaus geht es in Bispingens Klettergarten –
für Schwindelfreie.

Frigga Steinmann-Laage präsentiert in Bispingens Greifvogelgehege einen ihrer Schützlinge.

BISPINGER ERFOLGSGESCHICHTE

Die Heide allein ist längst kein Garant für hohe Besucherzahlen mehr. Neue Attraktionen müssen her. Bispingen ist bei ihrer Ansiedlung besonders erfolgreich. Dabei mussten die Bispinger anfangs fast zu ihrem Glück gezwungen werden. Gegen den Widerstand fast der Hälfte der Bevölkerung, die Überfremdung und Verkehrsstaus befürchtete, etablierte sich hier Mitte der 1990er-Jahre ein Ferienpark – heute größter Arbeitgeber im Gemeindegebiet. Nächster Investor auf touristischem Gebiet war Ex-Formel-1-Rennfahrer Ralf Schumacher mit einer Kart-Bahn. Gegenüber wurde 2007 der Snow-Dome eröffnet,

ein überdachtes Wintersportparadies für 365 Tage im Jahr. Bürgermeister Detlev Loos hatte Wind davon bekommen, dass sich die Söldener Bergbahnen in Norddeutschland nach einem geeigneten Standort für eine Skihalle umschauten. 2009 misslang allerdings ein weiterer Coup: Die Landesregierung entschied, ein riesiges Outlet-Center für hochwertige Marken bei Soltau statt hier entstehen zu lassen. Bispingen blüht trotzdem nicht mehr nur zur Heideblütenzeit – es ist Ganzjahresziel geworden.

HEIDE-RANGER

Die Heide ist ein idealer Lebensraum für Menschen mit Ideen, so unter-

Unternehmungen für jeden Geschmack: Reiterhof Cohrs in Volkwardingen ...

... Vulkanausbruch auf Knopfdruck an Uwe Schulz-Ebschbachs Montagnetto ...

... und Replik des königlich-preußischen Esszimmers von Sanssouci in seinem kuriosen Anwesen Iserhatsche.

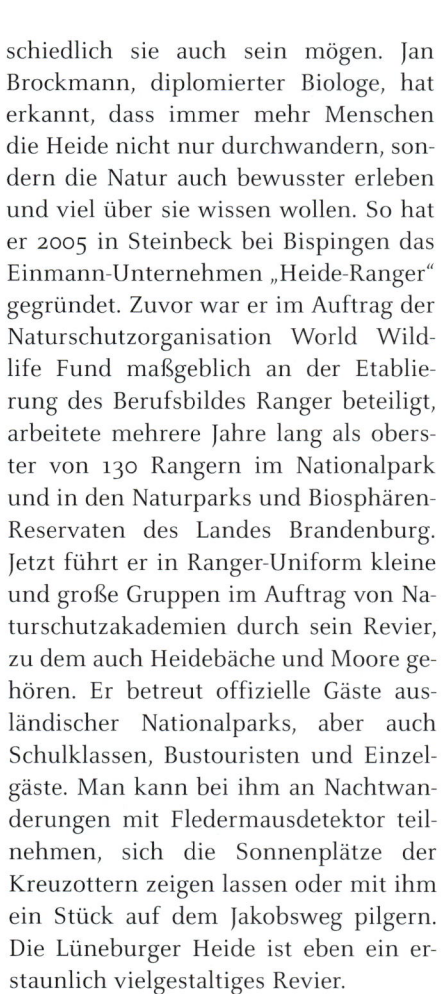

Ganzjährige Tropenatmosphäre im Ferienpark Bispinger Heide …

… oder Skispaß im Snow Dome, ebenfalls das ganze Jahr über.

schiedlich sie auch sein mögen. Jan Brockmann, diplomierter Biologe, hat erkannt, dass immer mehr Menschen die Heide nicht nur durchwandern, sondern die Natur auch bewusster erleben und viel über sie wissen wollen. So hat er 2005 in Steinbeck bei Bispingen das Einmann-Unternehmen „Heide-Ranger" gegründet. Zuvor war er im Auftrag der Naturschutzorganisation World Wildlife Fund maßgeblich an der Etablierung des Berufsbildes Ranger beteiligt, arbeitete mehrere Jahre lang als oberster von 130 Rangern im Nationalpark und in den Naturparks und Biosphären-Reservaten des Landes Brandenburg. Jetzt führt er in Ranger-Uniform kleine und große Gruppen im Auftrag von Naturschutzakademien durch sein Revier, zu dem auch Heidebäche und Moore gehören. Er betreut offizielle Gäste ausländischer Nationalparks, aber auch Schulklassen, Bustouristen und Einzelgäste. Man kann bei ihm an Nachtwanderungen mit Fledermausdetektor teilnehmen, sich die Sonnenplätze der Kreuzottern zeigen lassen oder mit ihm ein Stück auf dem Jakobsweg pilgern. Die Lüneburger Heide ist eben ein erstaunlich vielgestaltiges Revier.

BEIM „BARON" ZU BESUCH

Uwe Schulz-Ebschbach, Jahrgang 1941, war schon als Ostberliner Kind in Bur-

gen, Schlösser und herrschaftliche Häuser vernarrt. Bis heute hat er den Duft des Klebers in der Nase, mit dem er sechsjährig aus einem Bastelbogen seine erste Burg zusammenbaute. Bei Bispingen konnte der in Berlin erfolgreiche Malermeister und glühende Verehrer preußischer Kultur selbst zum Burgherrn avancieren.

Bereits 1985 kaufte er die Jagdvilla, die sich der rheinische Stahlindustrielle und Kommerzienrat Ernst Nölle 1913

Er verwandelte den zuletzt als Schullandheim genutzten Bau in ein Märchenschloss, in dem jeder Blick überrascht.

hatte bauen lassen. Er verwandelte den zuletzt als Schullandheim genutzten Bau in ein Märchenschloss, in dem jeder Blick überrascht. Hier hat er das Diana-Zimmer aus Schloss Sanssouci nachgebaut, das Jagdzimmer mit kostbaren Biedermeiertapeten ausgekleidet. Vom königlich-preußischen Esszimmer aus kann er über eine Tastatur am Kopfende der Tafel das Spiel der Glocken im eisernen Glockenbaum auf der Terrasse bedienen – und sprüht vor Ideen, die er sofort und mit eigenen Händen in die Tat umsetzen will.

Im Landschaftspark hat er das Heidekastell Montagnetto errichtet, wo auf Knopfdruck ein Vulkanausbruch simuliert werden kann. Vor dem Kastell steht eine zwanzig Meter lange Arche Noah. Und als jüngsten Coup zeigt der „Baron" die weltgrößte Sammlung gefüllter Bierflaschen und die größte deutsche Sammlung von Streichholzschachteln. Eigentlich wollte sich der Berliner Tatmensch mit dem Iserhatsche genannten Anwesen nur einen Alterssitz schaffen – doch inzwischen ist sein „Elysium" zur Touristenattraktion geworden. Sogar der Hohenzoller Christian Sigismund, Prinz von Preußen, war schon da: Ihm zu Ehren ließ der „Baron" seine preußischen Gardesoldaten salutieren, die er aus besonderem Anlass zu den (ungeladenen) Waffen ruft.

SCHÄFEREI

Jeden Tag im Dienst

*Matthias Schüler ist gelernter Schäfer aus Leidenschaft.
Von der Schule ging es bei ihm ohne Umwege in den Traumberuf.
Erst im Ostharz, nun in der Heide. Für ihn besteht selbst eine
tausendköpfige Herde aus lauter Individuen, die er nach Aussehen
und Eigenart unterscheiden kann.*

Wir treffen uns an einem eiskalten Wintermorgen auf dem Schäferhof Neuenkirchen in idyllischer Weltabgeschiedenheit. Matthias Schüler kommt mir in Jeans, Stiefeln, karierter Winterjacke entgegen. Er muss eben noch den Stall öffnen, in dem die einjährigen Tiere die Nacht verbrachten. Sie preschen in einen zweiten Stall hinüber, wo frisches Kraftfutter wartet. Dann gehen wir hinein ins Schäferhaus.

Wie viele Tiere machen die Schnuckenherde von Neuenkirchen aus? Den Kern der Herde bilden etwa 400 Mutterschafe. Dazu kommen einige Böcke, Anfang des Jahres auch noch all die einjährigen Tiere und dann die neugeborenen Lämmer. Da kann die Herde im Frühjahr schon über 1200 Köpfe zählen.

Wie sieht das Leben einer Heidschnucke aus? Im Februar und März kommen nach fünfmonatiger Tragezeit die Lämmer mit schwarzem Fell zur Welt. Ein Tierarzt ist nicht dabei, der Schäfer ist Geburtshelfer. Die Neugeborenen werden für etwa drei Tage mit ihrer Mutter in eine Einzelbucht gesperrt, damit der Kontakt zwischen ihnen entsteht. Die Lämmer sind etwa 120 Tage lang auf Muttermilch angewiesen. Kein Kraftfutter kann sie ersetzen.

Lauter Individuen: junger Schäferhund und Schnucken-Charakterkopf

Und wie geht's dann weiter? Ab April gehen die Lämmer bereits mit raus – jeder Tag im Stall kostet ja Geld. Wenn sie sich ein halbes Jahr lang über den Schäfer geärgert haben, kriegen sie graue Haare. Nach etwa neun Monaten werden die ersten männlichen Jungtiere geschlachtet – bei uns meist jeden Montag sechs von ihnen. Die besten jungen

Was auf den ersten Blick als Idylle erscheint, ist harte, anstrengende Arbeit.

Böcke bringen wir zur Bockauktion. In der Natur können Heidschnucken bis zu zwölf Jahre alt werden, aber nach sechs Jahren lässt ihre Leistungsfähigkeit enorm nach. Die Zähne werden lang und fallen aus, vor allem beim harten Heidekraut. Da würden ältere Tiere am gedeckten Tisch verhungern.

Umherziehen und Fressen sind die Hauptaufgaben der Schnucken. So pflegen sie die Landschaft der Lüneburger Heide.

Was bringt so eine Schnucke? Das Fleisch vermarkten wir zum Teil direkt hier auf dem Hof, so um die 200 Tiere. Wurst und Knipp (Grützwurst) lassen wir von einem Metzger herstellen, die Felle lassen wir gerben. Die Wolle ist eigentlich ein Abfallprodukt, da kostet die Entsorgung sogar über 130 Euro pro Tonne. Aber wir haben Glück: Uns nimmt sie ein Winzer ab, der sie auf seinem Weinberg ausbringt. Wolle verdirbt ja nicht, hält die Feuchtigkeit noch nach zehn Jahren in der Erde. Aber die Schnucke selbst bringt nicht genug, um Herden rentabel halten zu können. Wichtiger sind die Prämien, die der Halter vom Staat und der EU für die Landschafts- und Herdbuchpflege bekommt, also dafür, dass er die Heide und unsere grau gehörnte Heidschnucke vor dem Aussterben bewahrt.

Und was hat der Schäfer davon? Ich habe Glück, denn ich werde vom Verein Schäferhof Neuenkirchen nach Tarif bezahlt, bekomme sogar Sonn- und Feiertagszuschläge, Weihnachts- und Urlaubsgeld. Nur habe ich keine Zeit für Urlaub. Als Schäfer bist du fast 365 Tage im Jahr mit den Tieren draußen, bei Wind und Wetter. Und viel Büroarbeit hängt auch noch dran. Kein Wunder, dass unsere Zunft Nachwuchssorgen hat.

Ist Schäfer zu sein für Sie auch nach 36 Jahren noch ein Traumberuf? Auf jeden Fall. Ich wusste schon mit zehn, dass ich Schäfer

werden will, und habe auch gleich nach der Schule mit der Berufsausbildung angefangen. Von 1972 bis 1990 war ich in einer LPG im Harz tätig. Da hatten wir 2000 Schafe. Nach der Wende waren sie alle weg. Aber ich wollte wieder eine Herde, deswegen bin ich jetzt hier. Was ich am meisten am Beruf schätze? Den Umgang mit den Schnucken und den Hunden – und meine Freiheit!

Welche Hunde bevorzugen Sie denn bei der Arbeit? Die Schnucken sollen durchaus die Graskanten an Feld- und Wegrändern abweiden, aber sie dürfen nicht an die Kartoffeln und Rüben gehen. Da müssen die Hunde sie raushalten. Trotzdem müssen sie den Heidschnucken genug Ruhe zum Fressen lassen, dürfen sie nicht ständig scheuchen. Ich nehme immer zwei Hunde mit. Dreizehn Jahre lang hatte ich Border Collies, aber denen fehlt die Härte. Sie können sich gegen die Schafe nicht genug durchsetzen, sind mehr für die Koppelhaltung geeignet. Für Wanderherden sind Altdeutsche Schäferhunde ideal. Die habe ich jetzt.

Haben Sie ein persönliches Verhältnis zu den Tieren, geben manchen sogar Namen? Nee, das geht nicht. Was einen Namen hat, kann man nicht schlachten. Aber ich kenne jedes Tier und habe auch meine Lieblinge. Jedes sieht anders aus. Auch beim Fressen haben sie ganz unterschiedliche Vorlieben. Es gibt keine zwei gleichen.

Freizeit an der Elbe und dem Elberadweg genießen

Die traumhaft schönen Landschaften in Elbmarsch und Elbtalaue südöstlich von Hamburg – gelten noch immer als Geheimtipp für Ihr kleines „Kurz mal eben weg" oder mal „Raus aus der Stadt ".

Die Region ist reich an eindrucksvoller Natur. Kommen Sie mit auf Entdeckungsreise und lassen Sie sich von den zahlreichen attraktiven und individuellen Angeboten unserer kompetenten Unternehmen überraschen, die Sie zum aktiven Entspannen in diesen zauberhaften Landstrich einladen.

Erleben Sie den Kontrast von Natur und Technik am Schiffshebewerk in Scharnebeck, verfolgen Sie hautnah historische und geschichtsträchtige Ereignisse, wie die Göhrdeschlacht aus der Zeit der napoleonischen Kriege.

„Tauchen" Sie ein in die 70.000 Liter großen Aquarienlandschaft Biosphaerium Elbtalaue-Bleckede, welche Ihnen eine Tür in die Unterwasserwelt der Elbe öffnet.

Schwingen Sie sich aufs Fahrrad, die Draisinen, entern Sie unsere Elbeschiffe und Flöße, klettern Sie auf die Planwagen. Erfahren und entdecken Sie gemeinsam die ursprüngliche Natur der Flusslandschaft Elbe. Lassen Sie sich von hunderttausenden blühenden Tulpen, Rosen und Dahlien in den Winsener Luhegärten verzaubern. Erleben Sie auf den zahlreichen kulturellen Veranstaltungen im Park das besondere Flair dieser herrlichen Gartenanlage. Das in unmittelbarer Umgebung gelegene Wasserschloss aus dem 17. Jahrhundert ist immer einen Besuch wert.

Natürlich wollen wir Sie auch kulinarisch verwöhnen! Für Ihr leibliches Wohl sorgen die vielen familiengeführten Cafés, Landgasthöfe und Hotels, welche Ihnen gerne die regionalen Köstlichkeiten, wie z.B. den Stint oder Spargel, mit den entsprechenden schmackhaften Beilagen servieren. **Kommen Sie, schauen und probieren Sie selbst!**

Infos

Mehr als Heideromantik

Bilderbuch-Heide prägt das Naturschutzgebiet rund um den Wilseder Berg. Orte wie Bispingen und Schneverdingen haben aber längst erkannt, dass traditionelle Heideromantik allein keine Urlauber bindet. Zu Kutschfahrten, Heidewanderungen und Besuchen auf dem Schnuckenhof gesellen sich Nordic Walking, Wintersport, schnelle Autos und skurrile Ideen.

01 SCHNEVERDINGEN

Die Kleinstadt (19 000 Einw.) am Westrand des Naturschutzparks ist durch ihre Lage zwischen Heideflächen und renaturiertem Moor besonders reizvoll. Das ausgezeichnete Wanderwegenetz ist ein weiterer Pluspunkt der 1231 erstmals erwähnten Gemeinde.

Sehenswert

Der **Höpen** (119 m) im Norden der Stadt bietet mit ausgedehnten Heideflächen, Waldstücken und Buchweizenfeldern ein beispielhaftes Heideerlebnis. Am Südhang sind im **Heidegarten** über 130 Arten gepflanzt, sodass von Dez. bis Sept. immer einige blühen (Schaftrift, frei zugänglich). Am Westhang ist die größte Sonnenuhr Deutschlands unübersehbar; der gelbe Kegel am 16,5 m hohen Zeiger weist stets zum Polarstern (Schulstraße, frei zugänglich). An der Straße Richtung Pietzmoor macht ein Wegweiser auf die **Eine-Welt-Kirche** (1999) aufmerksam; in der Altarwand stehen 7000 „Erdbücher": transparente Behälter mit Steinen und Erde aus aller Welt (Ernst-Dax-Straße, www.eine-welt-kirche.de; April–Okt. Mo.–Sa. 10.00 bis 12.00, sonst So. 14.00–16.00 Uhr, jederzeit Blick durch Glastür auf den Altar). Älter ist die Feldsteinkirche **St. Peter und Paul** (1745) mit 50 m hohem Backsteinturm (Schlüssel im Kirchenbüro, Friedenstr. 3).

Museum

Das **Heimatmuseum De Theeshof** (Langeohlsberg, Hansahlener Dorfstr. 16, Tel. 0 51 93 / 21 99; Mai–Okt. Di.–So. 15.00–18.00, So. auch 10.00 bis 12.00 Uhr) zeigt, wie Heidebauern zwischen 1850 und 1950 lebten. Um „Schule früher" geht es im **Pult- und Federkiel-Museum** im Ortsteil Insel (Reinsehlener Weg 2, Tel. 0 51 13 / 80 05 06; April–Okt. Di., Mi., Sa./So. 14.00–17.00 Uhr).

Aktivitäten

Ein besonderes Moorerlebnis bietet der 4,8 km lange, auf 6,6 km ausdehnbare Rundwanderweg 4 durchs **Pietzmoor** ▶ TOPZIEL, der nahe der L 170 Richtung Heber am Hotel Schäferhof beginnt. Fürs **Nordic Walking** stehen in und um Schneverdingen 40 km gut ausgeschilderte Routen zur Wahl (Stockverleih: Tourist-Information). Das Aus- bzw. Eintreiben der **Schnuckenherde** kann man im Sommer tgl. um 11.00 und gegen 17.30 Uhr am Schafstall auf dem Höpen beobachten; Ende Mai–Anf. Okt. gibt es dort **Schäferabende** mit Musik und Tanz (Termine bei Schneverdingen Touristik). Ein **Vortrags- und Seminarprogramm** bietet die Alfred-Töpfer-Akademie für Naturschutz auf Hof Möhr an der Straße Richtung Bispingen (Tel. 0 51 99 / 9 89 10, www.nna.de).

Einkaufen

In Schneverdingen gibt es mehrere **Fellhandlungen**. Einblick in eine Kleinmolkerei und Käserei gewährt die **Lünzener Käseschmiede** mit Molkereiladen (Alte Landstr. 11, Schneverdingen-Lünzen, www.kaeseschmiede.de).

Tipp

Wandern mit dem Esel

Arno Virkus ist seit über vierzig Jahren in Esel vernarrt und lässt Urlauber an seinem Hobby teilhaben. Ab Vahlde (14 km nordwestl. Schneverdingen) bietet er halb- und ganztägige Eselwanderungen an, die man auch mit einer geführten ganztägigen Kanutour verbinden kann. Unterwegs wird auf einem Zeltplatz bei Scheeßel gegrillt und campiert. Die Esel, die von den Wanderern geführt werden, tragen Getränke, Verpflegung und den Grill; Kinder unter dreißig Kilo Gewicht dürfen auch ein kurzes Stück reiten – falls es den Eseln genehm ist.

Kanuesel Tours, Im Fuhrenkamp 14, 27389 Vahlde, Tel. 0 42 65 / 95 42 45, www.kanuesel.de

Veranstaltung

Das **Heideblütenfest** (letztes Aug.-Wochenende) ist eines der Großereignisse der Region. Höhepunkt ist die Krönung der Heidekönigin (So.) mit Festzug durch den Ort und Theateraufführung auf der Freilichtbühne im Höpental (www.heidebluetenfest.de).

Information

Schneverdingen Touristik, Rathauspassage 18, 29640 Schneverdingen, Tel. 0 51 93 / 9 38 00, Fax 9 38 90, www.schneverdingen-touristik.de

02 BISPINGEN

Die einst beschauliche Gemeinde hat sich zum modernen touristischen Zentrum (6100 Einw.) mit ungewöhnlichen Angeboten für Aktivurlauber entwickelt. Sie liegt in unmittelbarer Nähe des Naturschutzparks Lüneburger Heide und ist im Sommer durch öffentliche Verkehrsmittel gut an viele Nachbarorte im weiten Umkreis angebunden.

Erdbücher in der Eine-Welt-Kirche

Typische Moorvegetation im Pietzmoor

Infos

Heidetypische Allee bei Bispingen

Sehenswert

Die **Ole Kerk** (1353) wurde 1978 in ihren urspr. Zustand zurückgebaut; die 16 Bleiglasfenster der Feldsteinkirche sind allerdings modern. Die Inhaberin des privaten **Greifvogelgeheges** hat zu jedem ihrer Tiere ein enges Verhältnis und bietet weit mehr als die übliche Falkner-Show (An der B 209 Richtung Amelinghausen, Tel. 0 51 94 / 78 88, www.greifvogel-gehege.de; Juli bis Sept. tgl. 15.00 Uhr, Mai, Juni, Okt. nur Mi., Sa./So.). Völlig aus dem Heiderahmen fällt **Iserhatsche** mit Burg, Arche Noah, Bierflaschenmuseum, Landschaftspark u. v. m. (Nöllestr. 40, Tel. 0 51 94 / 12 06, www.iserhatsche.de; April bis Okt. tgl. 10.00–18.00, sonst 11.00–16.00 Uhr, Jan., Febr. nur Sa./So.).

Aktivitäten

Im **Snow-Dome** (Horstfeldweg 9, Tel. 0 51 94 / 4 31 10, www.snowpark-bispingen.de; Mo., Di. 12.00–19.00, Mi.–Fr. 12.00–21.00, Sa. 10.00 bis 21.00, So. 10.00–19.00 Uhr) mit 300 m langer Piste kann man das ganze Jahr rodeln, snowboarden und Ski fahren. Pisten anderer Art finden sich nebenan in Ralph Schumachers **In- und Outdoor-Kart-Bahn** (RS Kart & Bowl, Horstfeldweg 5, Tel. 0 51 94 / 98 20 50, www.rs-kart center.de; wechselnde Zeiten zwischen 10.00 und 23.00 Uhr, Bowling-Anlage). Ein beschauli-

cheres Vergnügen für jedes Alter beschert die **Quad-Bahn** (Am Brunausee, Tel. 0 42 84 / 16 91); auf der 300 m langen, leicht hügeligen Sandbahn dürfen Kinder schon ab 8 Jahren allein fahren. Auf dem Brunausee werden **Boote** verliehen, ein **Klettergarten** steht nach Voranm. offen (High Walker, Tel. 0 51 94 / 98 20 98, www. high-walker.de). Naturkundliche Führungen für jede Altersgruppe bietet der in Bispingen-Steinbeck lebende **Heide-Ranger** an (Tel. 0 51 94 / 97 08 39, www.heide-ranger.de). Mitte Juli–Anf. Sept. ist Bispingen So. Haltepunkt des Museums-Schienenbusses **Ameisenbär** von 1937 (Soltau-Touristik, Tel. 0 51 91 / 82 82 82, www. soltau-touristik.de). Südl. liegt der **Center Parc Bispinger Heide**, ein großer Ferienpark mit vielen Angeboten (Töpinger Str. 69, Tel. 0 18 05 / 72 75 24, www.centerparcs.de).

Umgebung

Die Weiler **Nieder-** und **Overhaverbeck** am Wilseder Berg, die zusammen nur 80 Einw. haben, sind ideale Ausgangspunkte für Wanderungen ins Kerngebiet des Naturschutzparks. Ein 13 km langer Rundweg führt vom Haus der Natur in Niederhaverbeck auf den Wilseder Berg und über Wilsede, die stimmungsvollen Trockentäler Stein- und Totengrund zurück zum Parkplatz, an dem auch zahlreiche Pferdewagen für Kutschtouren nach Wilsede auf Gäste warten. Nordwestl. von Niederhaverbeck präsentiert das **Walderlebniszentrum Ehrhorn** (Ehrhorn 1, Tel. 0 51 98 / 98 71 20, www.ehrhorn-no1.de; April bis Okt. tgl. 10.00–18.00, sonst Mo.–Fr. 10.00 bis 16.00 Uhr) die Geschichte von Wald- und Landwirtschaft in der Heide. Der **Wilseder Berg** (169 m), den man nur zu Fuß oder mit dem Rad erreicht, ist die höchste Erhebung in der Heide. Der nur 46 Einw. zählende und 1287 erwähnte Weiler **Wilsede** liegt dem Berg von allen Heideorten am nächsten. Kfz dürfen ihn nur mit Sondergenehmigung ansteuern. Ruhiger als in einem der 24 Fremdenzimmer kann man seine Urlaubsnächte nicht verbringen – tagsüber allerdings kommen zur Zeit der Heideblüte bis zu tausend Besucher ins Dorf. **Dat ole Huus** ist das älteste Heide-Museum (Mai–Okt. tgl. 10.00–16.00 Uhr).

Information

Bispingen-Touristik, Borsteler Str. 6, 29646 Bispingen, Tel. 0 51 94 / 3 98 50, Fax 3 98 53, www.bispingen.de

03 AMELINGHAUSEN

Die Samtgemeinde (8200 Einw.) besteht aus 21 Dörfern, darunter das über 1000 Jahre alte Amelinghausen, das sich selbst als „Krone der Heide" bezeichnet. Zwar ist keines der Dörfer

unbedingt ein „Kronjuwel", doch hat die Landschaft einiges zu bieten.

Aktivitäten

Hauptattraktion ist der **Lopausee** mit Badestrand und Tretbootverleih. Ein 2,2 km langer Rundwanderweg führt durch die naturnahe Landschaft. Der **Hochseilgarten** am Lopausee (Seepromenade 1, Tel. 0 41 32 / 93 33 97, www. maxwood.de; tgl. 10.00–19.00 Uhr, Anm. erbeten) bietet sichere Klettererlebnisse in bis zu 18 m Höhe.

Veranstaltung

Mitte Aug. beginnt an einem Sa. das 9-tägige **Heideblütenfest** von Amelinghausen (www. heidebluetenfest.com). Zum Auftakt steigen aus dem Lopausee vor einem Höhenfeuerwerk farbige Fontänen, am Festumzug am letzten Tag nimmt auch die neu gekürte Heidekönigin teil.

Umgebung

Die **Oldendorfer Totenstatt** ist eine der bedeutendsten Begräbnisstätten Norddeutschlands aus der Jungstein- und Bronzezeit mit mehreren Großstein- und bis zu 80 m langen Hügelgräbern (ausgeschildert an der Straße Oldendorf–Marxen); ausführliche Erklärungen dazu liefert das **Archäologische Museum Oldendorf** (Amelinghausener Str. 16 b, Tel. 0 41 32 /

Tipp

Musik in Heidekirchen

An Sommersonntagen erklingen Werke aus Barock, Rokoko und Klassik abwechselnd in der alten Heidekirche von Egestorf oder Undeloh. Einen Vorverkauf gibt es nicht, aber bisher fand jeder Interessent Einlass.

Juli–Sept. fast jeden So. 17.00 Uhr, Info Tel. 0 41 75 / 3 33, www.kirche-undeloh.de

93 05 50, www.oldendorf-luhe.de; April–Okt. Di. bis Sa. 14.00–17.00, Juli–Okt. auch 10.00 bis 12.00, So. 10.00–16.00, sonst Sa. 14.00–16.00, So. 13.00–16.00 Uhr). Auf dem vorgeschichtlichen Friedhof **Soderstorf** rekonstruierten Archäologen zwischen einem Hügel- und einem Großsteingrab Reste eines Urnenfelds (westl., Wohlenbütteler Weg). Nördl. von Schwindebeck (8 km westl.) perlt in der **Schwindequelle** Wasser in einem farbnuancenreichen Quellbecken aus dem Waldboden. Durch Wald und Heide führt der Rundwanderweg im **Marxener Paradies** (7 km nordöstl.). Alte Wassermühlen

DuMont Aktiv

findet man noch an der Luhe bei **Soderstorf** und **Wohlenbüttel**.

Information
Tourist-Information, Marktstr. 1,
21385 Amelinghausen, Tel. 0 41 32 / 92 09 43,
Fax 9 20 91, www.amelinghausen.de

04 EGESTORF

Das Dorf (2400 Einw.) östlich des Naturschutzparks Lüneburger Heide ist ein beliebtes Ausflugsziel. Von 1886 bis 1923 war Wilhelm Bode (1860–1927) hier Pastor. Die Kirche **St. Stephanus** ist ein schöner Fachwerkbau mit frei stehendem hölzernem Glockenturm (1645); auf dem Marktplatz davor eine Büste des „Heidepastors". Zum Nachdenken will der **Philosophische Steingarten** anregen.

Aktivitäten
Drei **Kutschunternehmen** bieten Fahrten nach Wilsede an. Juli–Sept. finden Mi. 15.00 Uhr 3-stündige Kutschfahrten mit Besuch einer Schnuckenherde statt.

Umgebung
Die Wassermühle am Mühlteich von **Hof Sudermühlen** (mit Hotel und Restaurant) stammt im Kern von 1376.

Information
Tourist-Information, Im Sande 1,
21272 Egestorf, Tel. 0 41 75 / 15 16,
Fax 80 24 71, www.egestorf.de

05 UNDELOH

Im touristisch bedeutendsten Dorf (940 Einw.) des Naturschutzgebietes herrscht während der Heideblüte viel Trubel, aber schon am Dorfrand sind die Wege Wanderern vorbehalten.

Sehenswert
Im Dorf steht seit über 800 Jahren die Kirche **St. Magdalenen** mit ihrem romanischen Schiff aus über 1 m dicken Feldsteinmauern, dem 1644 in Fachwerkbauweise „modernisierten" Chor und einem frei stehenden Glockenturm (Ostern bis Okt. tgl. 9.00–20.00, sonst bis 16.00 Uhr). Einen Besuch lohnt ferner das **Heide-ErlebnisZentrum** mit Informationen zu den Besonderheiten der Heidelandschaft (tgl. 10.00 bis 17.00 Uhr, www.heide-erlebniszentrum.de).

Information
Tourist-Information, Zur Dorfeiche 27,
21274 Undeloh, Tel. 0 41 89 / 3 33,
Fax 5 07, www.undeloh.de

Über den Wilseder Berg

Zwischen Mitte Juli und Mitte Oktober verkehren die Busse des kostenlosen Heide-Shuttle sechs- bis achtmal täglich zwischen Undeloh und Niederhaverbeck. So sind etwa vierstündige Einwegwanderungen zwischen beiden Orten problemlos möglich. Wegweiser sorgen für gute Orientierung.

Von der 70 m über dem Meeresspiegel gelegenen St.-Magdalenen-Kirche in Undeloh geht man zunächst etwa eine Stunde leicht bergan bis auf den 169 m hohen Wilseder Berg. Nächstes Ziel ist das 1200 m entfernte Heidedorf Wilsede mit seinem einladenden Gasthof. Gleich nebenan steht ein ursprünglich 1742 in Hanstedt errichtetes Bauernhaus als ältestes Heide-Museum. „Dat ole Huus" ge

Findling auf dem Wilseder Berg

währt stimmungsvoll Einblick in die bäuerliche Lebensweise vergangener Zeiten. Wiederum 1 km weiter erreicht man den Totengrund und wandert am oberen Rand dieses Wacholdertals entlang über den Hermann-Löns-Weg zum Steingrund mit seinem noch bizarreren Wacholderwald.

WALD UND HEIDE
Auf einem Waldlehrpfad des Forstamts Sellhorn geht es etwa 10 Minuten lang bis zu einer Asphaltstraße. Folgt man ihr nach links, kommt man auf kürzestem Weg nach Niederhaverbeck. Geht man nach rechts und biegt nach 140 m links auf einen unbeschilderten Waldweg ab, gelangt man zum Eichendorff-Weg, der den Wanderer auf den 160 m hohen Boltenberg bringt. Von dessen Kuppe aus ist der Blick auf den Wilseder Berg besonders schön. Von hier aus sind es dann noch etwa 45 Minuten bis ans Ziel.

WEITERE INFORMATIONEN

Heide-Shuttle: Fahrpläne an allen Haltestellen, in allen Tourist-Informationen und unter www.heide-shuttle.de.

Alternativen: Sechs Unternehmen bieten Kutschfahrten von Undeloh nach Wilsede an („Linienkutsche" Mitte Mai bis Mitte Okt. tgl. 10.00 Uhr, Rückfahrt 16.30 Uhr, in der Hauptsaison öfter). Wanderer können unterwegs ein- und aussteigen. In Undeloh werden auch Fahrräder vermietet; die Fahrt über die sandigen Wege kann aber sehr ermüdend sein.

Fachwerk und Achterbahn

Rund um eine der schönsten Fachwerkstädte Deutschlands erstreckt sich ein Urlaubsgebiet mit tagesfüllenden Freizeitangeboten wie dem Vogelpark Walsrode und dem Heidepark Soltau. Das Kloster Wienhausen birgt einige der kostbarsten gotischen Bildteppiche Europas, die Hermannsburger Mission steht für weltweite kirchliche Kontakte der Heide.

Die Klänge des Celler Turmbläsers auf der Stadtkirche schallen hinüber bis zum Schloss.

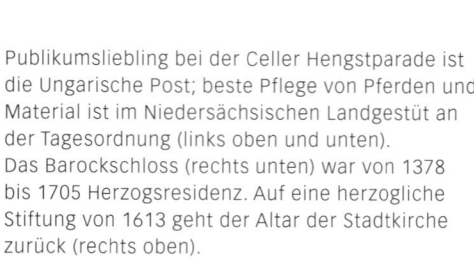

Publikumsliebling bei der Celler Hengstparade ist
die Ungarische Post; beste Pflege von Pferden und
Material ist im Niedersächsischen Landgestüt an
der Tagesordnung (links oben und unten).
Das Barockschloss (rechts unten) war von 1378
bis 1705 Herzogsresidenz. Auf eine herzogliche
Stiftung von 1613 geht der Altar der Stadtkirche
zurück (rechts oben).

Barock zeigt sich das Celler Schlosstheater. Die historische Spielstätte wird wegen Sanierungs-arbeiten derzeit nicht genutzt. Der Spielbetrieb läuft auf dem Gelände der CD-Kaserne weiter.

Fromme Sprüche zieren das Gebälk, aber auch ein nackter Hintern wird gezeigt.

In der Altstadt von Celle säumen etwa 480 Fachwerkhäuser die Stra-ßen und schaffen trotz varianten-reicher Fassaden ein Bild von großer Harmonie. Fromme Sprüche zieren das Gebälk, aber auch ein nackter Hintern wird gezeigt: am Hoppener Haus in der schnurgeraden Rundestraße, mit sechs Stockwerken und farbig bemalten Schnitzereien aus dem Jahr 1532 das wohl schönste Haus der Stadt. Unter-schiedlich große Plätze schaffen heime-lige Urbanität, Weinstuben an verwin-kelten Innenhöfen und Gastlichkeit hin-ter historischen Fassaden sind Garanten für gemütliche Stunden.

SKANDALÖSE GESCHICHTEN

Der Altstadt gegenüber trutzt das Celler Welfenschloss in seinem Park den Bür-gern. Noch faszinierender als antike Möbel, Stuckaturen, Schlosstheater und trotz Reformation reich ausgestatteter Kapelle sind die Frauenschicksale, von denen man bei Führungen hört. Den Anfang macht Eleonore d'Olbreuse aus dem einfachen Landadel des französi-schen Poitou. In Kassel lernt sie 1664 Herzog Georg Wilhelm kennen. Es ist bei beiden Liebe auf den ersten Blick. Der Herzog trennt sich von seiner Braut Sophie von der Pfalz. Eleonore schenkt ihm schon 1666, lange bevor sie 1676 endlich heiraten können, eine Tochter:

Sophie Dorothee. Die muss 1682 ihren hannoversch-kurfürstlichen Cousin – als George I. später der erste Welfe auf dem englischen Königsthron – heiraten, liebt aber den leichtlebigen Grafen Kö-nigsmarck. Dem nicht weniger lebens-frohen Gatten wird das hintertragen, er lässt den Grafen ermorden und schickt seine Frau für 32 Jahre in die Verban-nung. Ihre Kinder darf sie nie mehr wiedersehen.

Diese Chronique scandaleuse setzt sich Generationen später fort. Sophie Dorothees Urenkelin Caroline Mathilde wird Königin von Dänemark, liebt aber den deutschen Leibarzt und Minister ih-res geisteskranken Gatten, Johann Friedrich Struensee. Erneut gibt es kein Happy End: Struensee wird 1772 wegen Hochverrats hingerichtet, die Königin verbringt ihre letzten beiden Lebens-jahre als geschiedene Frau im Celler Schloss, das die Kurfürsten ja nicht mehr brauchen, weil sie inzwischen Kö-nige von England sind.

JUDEN IN DER HEIDE

Dem Celler Schloss gegenüber fügt sich am entgegengesetzten Ende der Alt-stadt eine der wenigen erhaltenen Syna-gogen Norddeutschlands bescheiden in die Häuserfronten ein. Der Bau aus dem Jahr 1740 überstand die „Reichskristall-nacht" 1938 nur deshalb relativ unver-

Grabdenkmal der Welfen-Herzöge im Chorraum
der Stadtkirche

Die von Fachwerk geprägte Altstadt überstand
den Zweiten Weltkrieg unbeschadet.

Das Weinlokal „Postmeister von Hinueber" hinter
einer Alt-Celler Fassade

Volkskundliche und stadtgeschichtliche Sammlungen präsentiert das Bomann-Museum.

sehrt, weil man bei einer Inbrandsetzung ein Übergreifen des Feuers auf die ganze Fachwerkstadt fürchtete. Damals lebten nur noch weniger als vierzig Juden in Celle. Grausame Ironie der Geschichte: Beim einzigen während des Kriegs auf Celle geflogenen Bombenangriff wurde im April 1945 ausgerechnet ein Zug getroffen, der viertausend KZ-Gefangene ins Heide-Konzentrationslager Bergen-Belsen bringen sollte. Die Hälfte von ihnen kam im Bombenhagel um. Bergen-Belsen wurde am 15. April 1945 von britischen Truppen befreit: Sie fanden dort 60 000 Überlebende und 10 000 noch nicht kremierte Leichen vor. Unter den Opfern des Lagers war auch die 1929 in Frankfurt am Main geborene Anne Frank. In der 2008 eröffneten neuen Gedenkstätte kommen Opfer und Täter in Filminterviews an Videosäulen eindrucksvoll zu Wort.

ZUCHTHENGSTE UND REITPONYS
Die Firstenden der Hofdächer in der Heideregion werden häufig von geschnitzten Pferdeköpfen geziert. Viele Heidjer sind Pferdenarren, davon zeugen allein schon die zahlreichen Reiterhöfe für Urlauber sowie das Deutsche Pferdemuseum in Verden an der Aller. Zwei Reitsportereignisse in der Heide haben europaweite Bedeutung: das Military-Turnier in Luhmühlen in der

Nordheide und die Celler Hengstparade. Deren Schauplatz ist das Landgestüt Celle, 1735 vom englischen König George II., dem Sohn der unglückseligen Sophie Dorothee, gegründet. Es dient vor allem einem Zweck – der Bereitstellung von Hannoveraner Zuchthengsten. Längst arbeitet man hier mit modernster Biotechnologie. Neuerdings kooperieren die Celler auch mit den Züchtern deutscher Reitponys und halten dafür im Ponymaß stehende Hannoveraner bereit.

WELTGRÖSSTER VOGELPARK
Auch eine der bedeutendsten Touristenattraktionen der Heide – der Weltvogelpark Walsrode – ist züchterisch tätig. In einer grandiosen, ganz von Wald gerahmten Park- und Gartenlandschaft leben etwa 4000 Vögel aus 700 Arten aller Kontinente. Vom Humboldt-Pinguin bis zur größten Papageiensammlung der Welt reicht das Spektrum. Pelikane und

Flamingos bevölkern die Teiche, in großen Freiflugvolieren sind vielerlei Eulenarten zu sehen. Bei Flugshows breiten Andenkondore und Schlangenadler ihre Schwingen aus, Kontaktvolieren erlauben das Füttern der Papageien. Ansonsten ist Füttern verboten. Die Futterküche bereitet den Vögeln mit 150 Kilogramm Fisch, 2300 Eintagsküken sowie je 50 Kilo Obst und Körnermischungen pro Tag einen reich gedeckten Tisch.

Der Vogelpark ist über einen eigenen Fonds weltweit bei vielen Schutzprogrammen zwischen Neukaledonien, Madagaskar und Brasilien aktiv. So beteiligt man sich an der Nachzucht des fast ausgestorbenen Spix-Ara in Car-

Viele Heidjer sind Pferdenarren, davon zeugen allein schon die zahlreichen Reiterhöfe.

park Walsrode – ist züchterisch tätig. In einer grandiosen, ganz von Wald gerahmten Park- und Gartenlandschaft leben etwa 4000 Vögel aus 700 Arten aller Kontinente. Vom Humboldt-Pinguin bis zur größten Papageiensammlung der Welt reicht das Spektrum. Pelikane und

tinga im brasilianischen Bundesstaat Bahia. Nur siebzig Tiere sind noch am Leben, 200 werden für die Auswilderung benötigt. Damit die Tiere später in der Wildnis auch geschützt werden können, unterstützt man eine Schule in der Region, deren Absolventen eines

An Nervenkitzel wird im Heide-Park Soltau nicht gespart.

Im weitläufigen Serengeti-Park haben auch die großen Tiere freien Auslauf.

Mit dem Raddampfer einmal um die Freiheits-
statue – im Heide-Park ist's möglich.

Bei manchen Bewohnern des Vogelparks Walsrode ist Füttern ausdrücklich erlaubt.

Tages Ranger-Funktionen übernehmen
könnten.

Gehegt werden hier in Walsrode aber
auch Weiß- und Schwarzstörche. Man
nimmt verletzte Vögel auf, von denen
jedes Frühjahr einige in Nestern am Bo-
den, vom Besucher gut einsehbar, ihre
Eier ausbrüten. Manchen der Störche
gefällt es in Walsrode so gut, dass sie im
nächsten Frühjahr gesund zurückkehren und jetzt ihre Nester in den Bäumen des Vogelparks bauen.

AUS DER HEIDE IN DIE WELT

In alle Welt hinaus streben auch die
Mitarbeiter der sogenannten Hermannsburger Mission, offiziell „Evan-
gelisch-lutherisches Missionswerk in
Niedersachsen" genannt. Ihre Zentrale
im Heideort Hermannsburg ist ein ganz
moderner Bau, bietet auch Pilgern auf
dem kürzlich neu geschaffenen Jakobsweg eine Herberge, gibt sich in ihrer Ca-
feteria ebenso international wie im
Welt-Laden. Etwa sechzig Mitarbeiter,
überwiegend Pastoren und Ärzte, sind
oft gemeinsam mit ihren Lebenspart-
nern für das 1849 von Ludwig Harms
gegründete Missionswerk in zehn Ländern auf drei Kontinenten tätig: in ar-
men Ländern wie Zentralafrika, in
Schwellenländern wie Indien und sogar
jenseits des Ural in der Russischen Fö-
deration. Jungen Menschen vermittelt
das ELM soziale Dienste im Ausland.
Beim jährlichen Missionsfest im Juni
sind stets viele Vertreter der Partner-
gemeinden zugegen und geben dem
Heideort ebenso wie das jährliche Internationale Trachtenfest einen farbigen,
weltoffenen Anstrich.

GESTICKTE GESCHICHTEN

Welt und Religion treffen auch im stattlichen Kloster Wienhausen zusammen,
das Zisterzienesernonnen 1221 gründe-
ten. Ihre bedeutendste Hinterlassen-
schaft sind auf gewobener Leinwand
gestickte weltliche und biblische Szenen, den Wandmalereien im Nonnenchor des Klosters stilistisch nicht un-

Valerij Bugrovs „Himmel und Erde" ist eines der Außen-
objekte der Kunst-Landschaft um Neuenkirchen.

Auch alte Eisenbahnschwellen wurden in Neuenkirchen zu Kunstobjekten.

Die der Aller zustrebende Örtze ist ein beliebtes Paddelrevier.

Special   LUFTBRÜCKE

Heide-Kohle

West-Berlin hat die Bewahrung seiner Freiheit ein wenig auch dem eher unbekannten Heidedorf Faßberg zu verdanken.
Vom 8. Juli 1948 bis zum 27. August 1949 starteten amerikanische und britische Piloten hier 53 911-mal mit insgesamt 539 112 Tonnen Kohle. Am geschäftigsten Tag absolvierten sechzig Flugzeuge 450 Flüge – alle vier Minuten landete oder startete eine Maschine in Faßberg. Die drei Luftkorridore nach Berlin waren damals Einbahnstraßen. Im Norden und Süden ging es hin, durch den mittleren Korridor Richtung Hannover zurück. Der Verkehr war so dicht, dass jede Maschine, die den Anflug verfehlte, zu ihrem Ursprungsort zurückkehren musste, weil kein Lande-Slot in Berlin mehr für sie frei war. In drei alten Nissenhütten und zwei historischen Kohlewaggons wird diese Zeit von der „Gedenkstätte Luftbrücke" dokumentiert.

ähnlich. Diese Wandteppiche schmückten das Kloster und hielten zugleich die Räume warm. Neun von ihnen sind im Museum gut erhalten, von weiteren blieben Fragmente. Die Teppiche wurden von den Nonnen auch an begüterte Mitmenschen außerhalb des Klosters verkauft – darum gesellen sich zu biblischen Motiven Themen aus der germanisch-keltischen Mythologie und Jagdszenen. Alle Teppiche sind von figurenreicher Fabulierfreudigkeit, die Abfolge der Szenen auf den Bildstreifen erinnert fast an einen Film. Statt des Tons sind in die waagerechten Trennstreifen Texte eingewoben – so auch in den mehr als vier Meter langen und über zwei Meter hohen Tristan-Teppich mit 24 Einzelszenen.

ZWEIERLEI HEIDEDICHTER
Erzählungen ganz anderer Art haben die beiden „Heidedichter" Hermann Löns und Arno Schmidt geschaffen. Löns, der meist außerhalb der Heide lebte, schrieb viel über sie, während Schmidt, der 25 Jahre lang bis zu seinem Tod mitten in der Heide, in Bargfeld bei Celle, wohnte, sie in seinen Werken nur kurz als Kulisse streift. Lieber hätte er in Irland gelebt, aber dafür fehlte ihm das Geld. Arno Schmidt an den Schriftstellerkollegen Alfred Andersch: „Also bleibt nur noch die

Haide." Hermann Löns wiederum war die Heide nicht genug. Er meldete sich 1914 als Freiwilliger an die Front und fiel in Frankreich.

Arno Schmidt kennen heute nur noch Germanisten und ein paar Liebhaber deutscher Nachkriegsliteratur. Sein

Arno Schmidt an den Schriftstellerkollegen Alfred Andersch: „Also bleibt nur noch die Haide."

Haus in Bargfeld kann nach Voranmeldung besichtigt werden, sonst erinnert nichts an ihn. Zu schwer lesbar waren seine überwiegend phonetisch geschriebenen, mit Dialekt, Jargon und Zeichen angereicherten Texte. „Ahrno Schmitt wahr 1 egohzentrischer Ekzentricker & furr mit derr Isettah durch die Haide & beschribb Zettel" – so in etwa würde man Arno Schmidt beschreiben müssen, hätte er nicht so viele renommierte Literaturpreise gewonnen. Auch der Preis seines Hauptwerks, „Zettels Traum", wirkt abschreckend: Selbst für eine neue Ausgabe muss man 200 Euro bezahlen, die Erstausgabe wird für ein Mehrfaches gehandelt. Die Bücher von Herrmann Löns hingegen werden mittlerweile zu Tiefstpreisen verschleudert.

Backstein allerorten: am gotischen Westgiebel der Klosterkirche Wienhausen ebenso ...

... wie im Remter des evangelischen Damenstifts Kloster Walsrode.

Fachwerk-Wirtschaftsgebäude und Innenaufnahme des Klosters Wienhausen

Süßwassermuscheln, mit deren Perlen Klosterfrauen früher Gewänder bestickten, kommen längst nicht mehr vor.

Seine detaillierten Beschreibungen von Tier- und Pflanzenwelt, Jagd und Heidestimmung sind nicht mehr nach dem Zeitgeschmack. Zudem hat ihn der Lobpreis der Nationalsozialisten für seine Bauernepen wie „Der Wehrwolf" manchen kritischen Geistern – eher zu Unrecht – suspekt gemacht. Trotzdem erfahren die Löns-Denkmäler, Löns-Steine und Löns-Stuben in der Heide regen Besucherzuspruch.

QUELLEN IN DER HEIDE
Ein Löns-Stein findet sich auch auf dem Wietzer Berg bei Müden an der Örtze, einem der schönsten Heideflüsschen. Die Gewässer und ihre Quellen zählen

zu den unbekannten landschaftlichen Kostbarkeiten. Die meisten fließen über Aller und Wümme der Weser zu, ein Teil vereint sich mit der Elbe. Süßwassermuscheln, mit deren Perlen Klosterfrauen früher Gewänder und liturgische Tücher bestickten, kommen in ihnen längst nicht mehr vor, aber für Vögel, Libellen, Amphibien und ein paar Fischarten sind sie wieder sauber und natürlich genug. Alte Wassermühlen zeugen von ihrer früheren Nutzung als Energiequellen. In Müden hat man sogar eine „Bikbank" unter alten Eichen rekonstruiert: eine Waschbank, als Erinnerung an waschmaschinenlose Zeiten. Viele Flüsse haben einen hohen Frei-

Grundsaniert: die Holländermühle in Sprengel bei Neuenkirchen

Müden am Flüsschen Örtze gilt als eines der gemütlichsten Heidedörfer.

Alljährlich an Himmelfahrt kommt die Wolle runter …

… bei der Schnuckenherde von Neuenkirchen.

Am Neuenkirchener Schnuckenstall werden Schafwollprodukte angeboten.

Special KIESELGUR

Nützliche Algenwinzlinge

Bis 1994 wurde Kieselgur, größter Bodenschatz der Heide, in alle Welt exportiert.
Die Hüllen mikroskopisch kleiner, vor über 300 000 Jahren abgestorbener Kieselalgen bildeten im Laufe der Zeit meterdicke Ablagerungen auf dem Grund von Seen, zugedeckt von Sand und Kies, als diese austrockneten. Ab 1863 widmeten sich bis zu zwanzig Betriebe der Gewinnung im Tagebau sowie der Verarbeitung in benachbarten Fabriken. Kieselgur ist ein wesentlicher Bestandteil von Dynamit, dient zum Filtern von Trinkwasser, Bier und Säften, erhöht die Beständigkeit von Asphalt, macht Autoreifen abriebfester, fungiert als Trägersubstanz in Kosmetika und vieles mehr. Ein Erlebnispfad auf dem Gelände des Ferienparks Heidesee in Oberlohe erzählt von ihrer Bedeutung und Geschichte.

zeitwert, sind mit dem Kanu befahrbar, einige wenige sogar mit kleinen Ausflugsdampfern.

Wie unterschiedlich Heidequellen sein können, zeigen die Vissel- und die Schwindequelle. Die Visselquelle sprudelt in einem Quellteich mitten im Dorf Visselhövede neben der Kirche in einem schön gestalteten Park. Eine Fontäne hält sie algenfrei – vor einigen Jahren wurden sogar erstmals wieder 36

Vor einigen Jahren wurden erstmals wieder Kinder mit Visselwasser getauft.

Kinder an der Quelle mit Visselwasser getauft. Die Schwinde hingegen tritt in einem Wäldchen bei Amelinghausen aus vielen Löchern in einem flachen, völlig naturbelassenen, vielfarbigen Quellbecken von über dreißig Quadratmeter Größe aus feinem weißem Sand aus. Sie ist die zweitstärkste Quelle Niedersachsens.

Tolle Knolle für Kochtopf und Industrie

Lüneburger Heidekartoffeln sind europaweit ein Begriff. Die Europäische Union hat ihn sogar geschützt. Vor Ort werden die tollen Knollen säckeweise an der Straße angeboten – zur Selbstbedienung.

Jeder Deutsche verzehrt im Schnitt sechzig Kilogramm Kartoffeln im Jahr. Die Hälfte der gesamtdeutschen Ernte kommt aus Niedersachsen, ein Gutteil davon aus der Heide. Kartoffelstärke aus dem Wendland wird weltweit zur Herstellung von Papier, Glasnudeln, Joghurtbechern, Biomüllsäcken und Tapetenkleister verwendet.

EIN LANGER WEG

Die Heidekarriere der Kartoffel begann 1635 als Zierpflanze in den Lustgärten Harburger Herzöge, die sich vor allem an den Blüten erfreuten. Die erste Kartoffelmahlzeit ist dank der Rechnung für das Begräbnismahl einer Ebstorfer Äbtissin für 1667 belegt. Erst hundert Jahre später wurde die Knolle langsam zur Feldfrucht und ersetzte dann ab dem frühen 19. Jahrhundert Roggenbrot, Hafer- und Buchweizengrütze als Grundnahrungsmittel der Heidjer.

Im Hochland der Anden wurden Kartoffeln rund um den Titicacasee schon 8000 Jahre früher angebaut. Die Spanier verbreiteten die Nachtschattengewächse über Gran Canaria als Zwischenstation zur Akklimatisation in Europa. Die Italiener nannten sie „Tartoffoli" und wurden damit zu Taufpaten des deutschen Namens.

SORTENVIELFALT

Insgesamt kennt man etwa 4000 Kartoffelsorten, über 200 davon sind in Deutschland offiziell zum Anbau und Verkauf zugelassen – Tendenz steigend. Sie unterscheiden sich in Farbe, Größe, Konsistenz, Geschmack und Form. Die EU kennt sogar geschützte geografische Herkunftsbezeichnungen für die Knollen – seit 2010 gehört die „Lüneburger Heidekartoffel" dazu.

Nicht alle in der Heide produzierten Erdäpfel sind jedoch für Kochtopf, Bratpfanne oder Fritteuse bestimmt. Fast eine halbe Million Tonnen werden allein in der Lüchower Stärkefabrik verarbeitet, und manche Heidekartoffel landet auch in der Wellness- und Beauty-Abteilung des „Ersten Deutschen Kartoffelhotels" im Rundlingsdorf Lübeln. Von der Gesichtsmaske bis zur Ganzkörperpackung kommt da das „Gold der Heide" zum Einsatz. Die Küche bietet dazu die passende Kartoffeldiät.

KARTOFFEL-HOTEL LÜNEBURGER HEIDE

Kartoffelmassagen, -bäder und -packungen machen sich den Vitamin- und Mineralstoffgehalt sowie die antiseptische und zellerneuernde Wirkung der Knollen zunutze.
Kartoffelhotel, Lübeln, Tel. 0 58 41 / 13 60, Fax 13 62 36,
www.kartoffel-hotel.de

Direkt vom Erzeuger schmecken die Knollen am besten – unverfälschter Kartoffelgenuss.

Die Heidekarriere der Kartoffel begann 1635 als Zierpflanze in den Lustgärten Harburger Herzöge, die sich an den Blüten erfreuten.

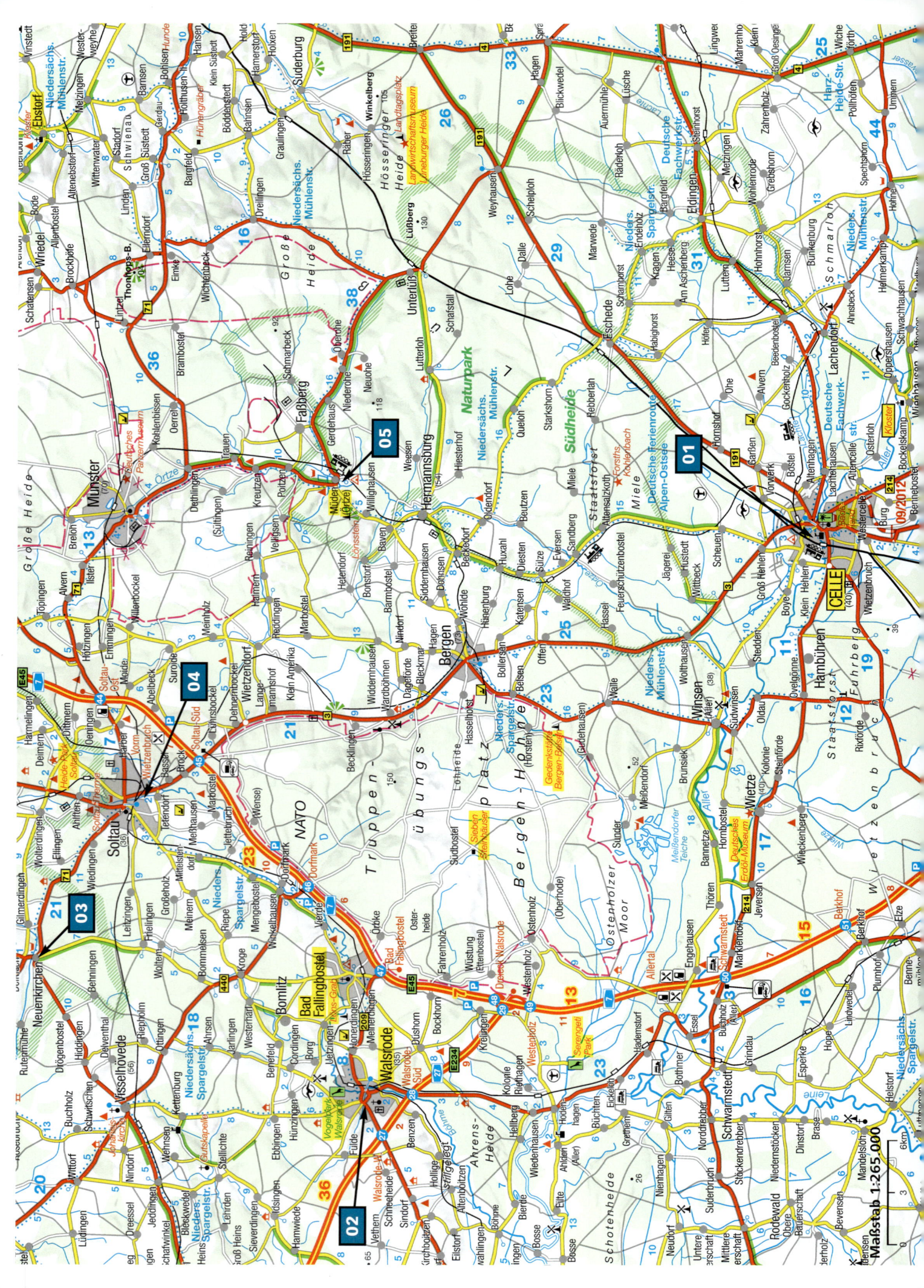

Infos

Nicht nur Freizeitland

Celle ist der Mittelpunkt einer waldreichen Region, die außer Heideflächen und mittelalterlichen Klöstern bedeutende Technikmuseen und mahnende Erinnerungen ans dunkelste Kapitel deutscher Geschichte bereithält. Unbeschwerte Ferienfreuden bieten einer der größten Freizeitparks Deutschlands und der größte Vogelpark Europas.

01 CELLE

Die Altstadt von Celle (71000 Einw.) blieb im Krieg nahezu unversehrt. Über 480 Fachwerkhäuser aus 5 Jahrhunderten bilden einen Kontrapunkt zum barocken Schloss der Vorfahren des Hauses Windsor. Kein Kloster, wie der Name vermuten lässt, sondern ein im 13. Jh. befestigter Allerübergang war Ursprung der Stadt. Eine bunte gastronomische Szene und viele, teils originale Einzelhandelsgeschäfte machen sie für ein weites Umland attraktiv.

Celles Synagoge gehört zu den ältesten jüdischen Kultstätten Deutschlands.

Sehenswert

Das 1292 gegründete, mehrfach umgebaute Schloss ▶ TOPZIEL (Schlossplatz 1, Tel. 0 51 41 / 1 23 73; Führungen April–Okt. Di.–So. stdl. 11.00 bis 15.00, sonst 11.00, 15.00, Sa./So. auch 13.00 Uhr; wegen Sanierung bis 2012 eingeschränkte Zeiten) war 1378–1705 Herzogsresidenz. Die 1485 geweihte **Schlosskapelle** birgt ein einzigartiges protestantisches Bildprogramm; den Altar gestaltete der Antwerpener Martenos de Vos im Renaissancestil (16. Jh.). Das barocke **Schlosstheater** ist das älteste noch bespielte deutsche Theater (www.schlosstheater-celle.de; wegen Sanierung ist der Spielbetrieb derzeit ausgelagert). Die Fürstengruft der 1676–1698 barock umgestalteten **Stadtkirche** (um 1300; Kirche Di.–Sa. 10.00–18.00, Jan.–März bis 17.00 Uhr, Fürstengruft Mi./Do. 16.00, 16.30, Turmbesteigung April–Okt. Di.–Sa. 10.00–11.45, 14.00 bis 16.45 Uhr) birgt die Grablegen von 17 Mitgliedern des welfischen Herzogshauses. Als schönster Fachwerkbau der denkmalgeschützten **Altstadt** gilt das 6-geschossige Hoppener-Haus (Poststr. 8 / Rundestraße) mit figürlichen Schnitzereien. Deutschlands älteste erhaltene **Synagoge** (1740) steht am Altstadtrand (Im Kreise 24, Tel. 0 51 41 / 1 24 52; Di.–Do. 15.00 bis 17.00, Fr. 9.00–11.00, So. 11.00–13.00 Uhr). Im Nordteil des Französischen Gartens informiert der **Bienengarten** des Instituts für Bienenkunde (gegr. 1927) über die Imkerei (Wehlstr. 4, Tel. 0 51 41 / 9 05 03 40, www.bieneninstitut.com; Mo.–Do. 9.00–12.00, 14.00–15.30 Uhr, Fr. nur vorm.). Dem Erhalt der Hannoveraner Pferderasse gilt seit 1735 das Bemühen des **Niedersächsischen Landgestüts** (Spörckenstr. 10, Tel. 0 51 41 / 9 29 40, www.landgestuetcelle.de; Mo. bis Fr. 8.30–17.00, Sa. bis 11.30 Uhr).

Museen

Bedeutend ist das **Bomann-Museum** (Schlossplatz 7, Tel. 0 51 41 / 1 23 72, www.bomann-museum.de; Di.–So. 10.00–17.00 Uhr) mit Kultur-, Regional- und Stadtgeschichte. Gleich nebenan zeigt das Kunstmuseum (Schlossplatz 7, Tel. 0 51 41 / 1 26 85, www.kunst.celle.de, Di.–So. 10.00–17.00 Uhr) moderne Kunst ab dem frühen 20. Jh. Nachts laden Licht- und Klanginstallationen zu einem effektvollen Rundgang ums Museum ein. Das **Deutsche Stickmustermuseum** in einem kleinen Rokokoschlösschen besitzt bis zu 400 Jahre alte Stickmustertücher (Palais am Prinzengarten, Prinzengarten 2, Tel.

Tipp

Sprechende Laternen

In Celle sprechen sogar Laternen miteinander. Die fünf figürlichen Lichtobjekte vor dem Hoppener-Haus erzählen Döntjes aus der Stadtgeschichte, wenn sich ein Passant zwischen sie stellt. Sie tragen Namen und ihre Stimmen sind zum Teil überregional bekannt. So lieh Lilo Wanders der „Oma" ihre Stimme oder das Krümelmonster aus der Sesamstraße (Gerhard Fiedler) der „Dicken". Mehrmals im Monat ist Laternensprechstunde, dann beantwortet eine Laterne live die Fragen der Besucher.

Ecke Rundestraße/Poststraße;
tgl. 10.00–13.00, 15.00–18.30 Uhr;
ww.sprechende-laternen.de

---

0 51 41 / 38 26 26, www.connemann.homepage.eu; Di.–Do., Sa./So. 10.00–13.00, 13.30–17.00 Uhr).

Aktivitäten

35 Min. dauern die **Stadtrundfahrten** mit der Kutsche (Abfahrt Großer Plan, Ecke Bergstraße, Tel. 0 51 41 / 9 87 90, www.schubotz-muehle.de; stdl. 10.00–18.00 Uhr). **Schifffahrten** auf der Aller nach Winsen/Aller oder Bannetze bietet die „Wappen von Celle" 4-mal wöchentlich (Tel. 0 51 41 / 94 12 12, www.celler-schifffahrt.de).

Einkaufen

Eine Celler Spezialität ist der hochprozentige **Kräuterlikör Ratzeputz**. Bevor man ihn trinkt, sollte man kräftig ausatmen.

Veranstaltungen

Das Ensemble des **Schlosstheaters** (bis 2012 in der Residenzhalle, Hannoversche Str. 30, Tel. 0 51 41 / 9 05 08 75, www.schlosstheater-celle.de) zeigt Klassiker, Gegenwartsdramen, Komödien und Revuen. Ein Großereignis ist die **Celler Hengstparade** an den letzten beiden Wochenenden im Sept. (Tickets: Tel. 0 51 41 / 9 29 40 und Tourist-Information). Bei der **Jazz Streetparade** (Mitte Juni) gleicht die Stimmung fast der in New Orleans. Der **Weihnachtsmarkt** auf dem Großen Plan ist der schönste in der Heide (ab 1. Advents-Wochenende).

Umgebung

Wienhausen (10 km südöstl.) ist dank seinem 1221 gestifteten Kloster mit Parklandschaft und alter Wassermühle idyllisch (An der Kirche 1, Tel. 0 51 49 / 1 86 60, www.kloster-wienhausen.de; Klosterführungen April–Mitte Okt. Di.–Sa. 10.00, 11.00, 14.00, 15.00, 16.00, 17.00, So. stdl. 12.00

Infos

bis 17.00, Juli–Mitte Okt. Di.–Sa. auch 12.30 Uhr, 2. Okt.-Hälfte eingeschränkte Zeiten; Museum Sa. nach Pfingsten–Mitte Okt. Di.–Sa. 10.00–18.00, So. ab 12.00 Uhr). Wie aus alter Zeit überkommen wirkt der Weiler **Marwede** (25 km nordöstl.). **Bargfeld** (weiter südl.) war der Wohnsitz des Literaten Arno Schmidt (1914–1979), dessen Haus nach Voranm. besichtigt werden kann (Tel. 0 51 48 / 9 20 40, www.arno-schmidt-stiftung. de). In **Wietze** (18 km westl.) informiert das **Deutsche Erdölmuseum ▶TOPZIEL** (Schwarzer Weg 7, Tel. 0 51 46 / 9 23 40, www.erdoel museum-wietze.de; Juni–Aug. 10.00–18.00, März bis Mai, Sept.–Nov. Di.–So. 10.00–17.00 Uhr) über die hiesige Erdölförderung 1858–1963; ein 4–6 km langer Museumspfad führt über das Raffineriegelände zur ehem. Arbeitersiedlung.

Information
Tourismus-Region Celle, Markt 14–16, 29221 Celle, Tel. 0 51 41 / 12 12, Fax 1 24 59, www.region-celle.de

02 WALSRODE

Die eng mit Hermann Löns (1866–1914) verbundene Kleinstadt (24 300 Einw.) entstand als Siedlung (1383 Stadtrecht) des 986 gegründeten Benediktinerinnenklosters, des ältesten der sechs Heideklöster.

Sehenswert
Die schön in die Landschaft eingebetteten Bauten des **Klosters**, heute ev. Damenstift, stammen überwiegend aus dem 18. und 19. Jh. (Tel. 0 51 61 / 4 85 83 80, www.kloster-walsrode.de; Führungen April–Sept. tgl. 15.00, 16.00, 17.00, Okt. 15.00, 16.00 Uhr). Gleich daneben steht die 1850 geweihte Stadtkirche **St. Johannis** mit Kanzelaltar (Kirchplatz 6; tgl. 9.00–19.00 Uhr).

Museen
Im **Heidemuseum Rischmannshof** ist ein Hermann-Löns-Zimmer mit Erstausgaben seiner Werke eingerichtet (Hermann-Löns-Str. 2, Tel. 0 51 61 / 9 77 27 0; März–Nov. Di.–Sa. 10.00 bis 12.30, 13.00–17.00 Uhr, So. nur nachm.).

Aktivitäten
Das vorgebliche **Löns-Grab** im Tietlinger Wacholderhain erreicht man auf einer 90-Min.-Rundwanderung vom Gasthaus „Zum Wacholderhain" aus. Leicht einen ganzen Tag kann man im **Weltvogelpark Walsrode** mit 700 Vogelarten verbringen (Tel. 0 51 61 / 6 04 40, www.welt vogelpark.de; Ostern–Okt. 9.00–18.00, Sommer bis 19.00 Uhr). Südl. ist bei Hodenhagen der **Serengeti-Park** zu finden, mit 1500 frei lebenden Löwen, Elefanten u. a. (Serengeti-Park Hodenhagen, Am Safaripark 1, Tel. 0 51 64 / 9 79 90,

www.serengeti-park.de; April–Okt. tgl. 10.00 bis 18.00, Einlass bis 17.00 Uhr).

Umgebung
Der Kurpark von **Bad Fallingbostel** liegt schön am Ufer der Böhme, die auf ihrem Weg nach Dorfmark ein Tal mit bis zu 40 m hohen bewaldeten Steilwänden geschaffen hat. Die besterhaltenen Großsteingräber der Heide, **Sieben Steinhäuser** genannt, stehen auf dem Truppenübungsplatz bei Ostenholz (Zufahrt nur Sa./So. 8.00–18.00 Uhr).

Dallas in der Heide: Erdölmuseum in Wietze

Information
Tourist-Information Walsrode, Lange Str. 22, 29664 Walsrode, Tel. 0 51 61 / 9 77 1 75, Fax 97 71 08, www.vogelpark-region.de; Tourismus-Agentur Vogelpark-Region, Sebastian-Kneipp-Platz 1, 29683 Bad Fallingbostel, Tel. 0 51 62 / 40 04 00, Fax 40 05 00

03 NEUENKIRCHEN

Der Luftkurort bezeichnet sich stolz als Schnuckendorf. Die Umgebung ist schön, das Hauptdorf der 1974 entstandenen Gemeinde (5700 Einw.) eher modern-gesichtslos. Direkt am Ortszentrum zeigt der wieder aufgebaute Schröers Hof, wie ein Heidehof der wohlhabenderen Art aussah. Etwas südöstl. des Zentrums bildet der Schäferhof ein idyllisches Ensemble.

Aktivitäten
Zu Fuß, per Rad oder Pferd kann man die etwa 40 Skulpturen des Projekts **Kunst-Landschaft** aufsuchen, bei dem sich internationale Künstler

seit 1974 mit der umliegenden Natur auseinandergesetzt haben (Kunstverein Springhornhof, Tel. 0 51 95 / 93 39 63, www. springhornhof.de).

Umgebung
In **Visselhövede** (10 km südwestl.) entspringt in einem angelegten Teich gleich hinter der Kirche St. Johannis mit gut erhaltenen gotischen Deckenmalereien (Mai–Sept. tgl. 8.00–18.00 Uhr) die Vissel (tgl. bis zu 60 m³).

Information
Heide-Touristik, Schröers Hof, Kirchstr. 9, 29643 Neuenkirchen, Tel. 0 51 95 / 51 39, Fax 51 28, www.heideurlaub24.de

04 SOLTAU

Das im Krieg stark zerstörte Soltau (22 000 Einw.) macht das Fehlen von Sehenswürdigkeiten durch die Nähe des größten Freizeitparks der Heide wett. 1388 erhielt es Stadtrecht und war ab dem 18. Jh. lange Zeit Garnison.

Museen
Gegenüber dem Rathaus von 1825 zeigt das **Norddeutsche Spielzeugmuseum** (Poststr. 7, Tel. 0 51 91 / 8 21 82, www.spielzeugmuseum-soltau.de; tgl. 10.00–18.00 Uhr) auf 600 m² Spielzeug aus vier Jahrhunderten.

Aktivitäten
In der **Soltau-Therme** (Am Böhmerwald, Tel. 0 51 91 / 8 44 81, www.soltau-therme.de; Di.–So. 9.00–22.00, Mo. ab 10.00 Uhr) mit Hallen-, Frei- und Solebecken stehen an manchen Abenden Schwimmen bei Kerzenschein oder Mitternachtssauna auf dem Programm. Schönstes Freizeitbad der Heide mit Wellenbad, Wildwasserkanal, Wasserfall und Saunalandschaft ist das **Südsee-Badeparadies** bei Wietzendorf (13 km südöstl.; Im Lindhorstforst 65, Tel. 0 51 96 / 98 03 30, www.5-sterne-camping.de; April–Okt. tgl. 10.00–21.00 Uhr, sonst kürzer).

Einkaufen
Die Eröffnung eines großen **Designer-Outlet-Centers** nahe der Autobahnausfahrt Soltau-Ost und der Kreisstraße nach Wietzendorf ist für Frühjahr 2012 geplant (www.designer-outlet-soltau.de)

Umgebung
Munster (13 km östl.) ist eine typische Garnisonstadt zwischen zwei Truppenübungsplätzen und damit guter Standort für das Deutsche Panzermuseum, das sich als Technik-Museum versteht (Hans-Krüger-Str. 33, Tel. 0 51 92 / 25 52, www.panzermuseum-munster.de; März–Nov. Di. bis So. 10.00–18.00 Uhr).

DuMont Aktiv

Information

*Soltau-Touristik, Am alten Stadtgraben 3,
29614 Soltau, Tel. 0 51 91 / 82 82 82,
Fax 82 82 99, www.soltau.de*

05 MÜDEN/ÖRTZE

Müden (2200 Einw.) gilt als schönstes Dorf der Südheide. Hier sind besonders viele alte Heidehöfe erhalten, werden mehrere Heideflächen gepflegt. Die Backsteinkirche **St. Laurentius** (urspr. um 1200) birgt im Chorgewölbe ein Fresko (um 1500) des Jüngsten Gerichts.

Aktivitäten

Im **Wild- und Abenteuerpark** (Heuweg 23, Tel. 0 50 53 / 90 30 31, www.wildpark-mueden.de; tgl. 9.00–18.00 Uhr) kann man über 200 Tiere sehen, dem Falkner bei der Arbeit zuschauen oder ein Kletterabenteuer in bis zu 22 m Höhe bestehen. Entlang der Örtze zieht sich ein **Erlebnispfad** (10,5 km) zum Thema Heidebach.

Veranstaltungen

Die **Heidschnuckenbock-Auktion** in Müden (2. Juli-So.) ist zwar auch amüsant, vor allem aber ernsthaftes Treffen der Schnuckenzüchter. Der Festumzug des 3-tägigen **Internationalen Trachtenfests** in Hermannsburg (Mitte Aug.) findet am So.-Nachm. statt (www.heimat bund-hermannsburg.de).

Umgebung

Die **Gedenkstätte Bergen-Belsen** auf dem Gelände des ehemaligen Konzentrationslagers erschüttert jeden Besucher (Anne-Frank-Platz, Lohheide, Tel. 0 50 51 / 4 75 92 00, www.bergen-belsen.de; April–Sept. tgl. 10.00–18.00, sonst bis 17.00 Uhr). Eine Folge des Krieges dokumentiert die Erinnerungsstätte Luftbrücke Berlin in **Faßberg** (Waldweg, Tel. 0 50 55 / 17 10 15, www.luftbrueckenmuseum.de; April–Mitte Okt. So. bis Do. 13.00–17.00, Fr. bis 15.30 Uhr). **Unterlüß** (15 km östl.) war Wohnsitz des Heidemalers Albert König (1881–1944); im Museum ist ein Teil seiner Werke im Original, der Rest digital zu sehen. Eine Ausstellung ist dem Kieselgurabbau in der Heide gewidmet (Albert-König-Str. 10, Tel. 0 58 27 / 3 69, www.albertkoenigmuseum.de; Mai–Okt. Di.–So. 14.30–17.30 Uhr, sonst nur Sa./So.). In **Hermannsburg** (6 km südl.) ist das Ludwig-Harms-Haus (Harmsstr. 2, Tel. 0 50 52 / 6 92 70, www.ludwig-harms-haus.de) Sitz der 1849 gegründeten Mission.

Information

*Touristinformation Müden, Unterlüßer Str. 5,
29328 Faßberg-Müden,
Tel. 0 50 53 / 98 92 20, Fax 98 92 23,
www.touristinformation-mueden.de*

Im Geschwindigkeitsrausch

Nervenkitzel für jedes Alter verspricht ein Tag im Heide-Park Soltau, Norddeutschlands größtem Freizeitpark. Über 50 Fahrgeschäfte, Shows und andere Attraktionen sorgen für Action pur – eingebettet in eine Parklandschaft mit 45 000 verschiedenen Blumen und Sträuchern.

Der Dive-Coaster „Krake" sorgt im Heide-Park seit 2011 für das etwas andere Achterbahn-Erlebnis. Die Wagen sind bodenlos und breiter als die Fahrbahn, die Beine der mutigen Fahrgäste baumeln frei in der Luft. Aus 41 m Höhe geht es nahezu senkrecht in den Schlund eines Ungeheuers hinein, das in der Piratenbucht auf Opfer lauert. Mit 120 km/h sind die Wagen von „Colossos" unterwegs, einer der schnellsten Holzachterbahnen der Welt. Kopfüber sitzt man in der Hänge-Loopingbahn „Limit", die „Schweizer Bobbahn" rast durch einen stählernen Eiskanal.

Schon die Kleinsten können sich an Tempo und beinahe freiem Fall erfreuen: Neben „Scream", einem 71 m hohen Fallturm, steht

Feurige Piratenshow

der nur 12 m hohe „Screamie", den schon Dreijährige benutzen dürfen. An jeden Mutfaktor ist im Heide-Park gedacht, selbst Kettenkarussell und Schiffschaukel sind präsent.

AKROBATIK UND COMEDY
Auch die Shows sind auf ein breites Besucherspektrum ausgerichtet, reichen vom Kasperletheater bis zur 30-minütigen Maya- oder Piratenshow mit Elementen aus Akrobatik, Schauspiel und Comedy, gepaart mit kunstvollen technischen Effekten. Am besten unternimmt man zu Beginn eine Rundfahrt mit Monorail oder Panoramabahn, um das Angebot auszuloten.

Abkühlung beim Rafting

WEITERE INFORMATIONEN

Öffnungszeiten: Mitte April–Anf. Nov. Einlass ab 9.00, Fahrgeschäfte ab 10.00 Uhr, Schließzeit laut Aushang vor Ort.
Eintritt: Tageskarte (ab 12 Jahren) 37 €, (4–11 Jahre) 30 €, Kinder unter 4 Jahren und Geburtstagskinder am Geburtstag frei, Parkgebühr 5 €.
Heidenhof, 29614 Soltau, Tel. 0 18 05 / 91 91 01, www.heide-park.de

Von allem etwas

Natur und fortschrittliche Technik, moderne Kunst und ländliche Beschaulichkeit führen zwischen Uelzen, Wolfsburg und Gifhorn eine friedliche Koexistenz. Friedensreich Hundertwasser und Zaha Hadid stehen für prägnante Architektur, im kleinen Hösseringen ist das heutige Dorf fast ebenso behäbig wie das Museumsdorf nebenan. Fischotter und Dachs setzen einen Kontrapunkt zur „Autostadt".

Wolfsburgs „Autostadt": 25 Hektar Architektur, Design, Technik und Natur

Der Kaiser kommt: Jedes Jahr im Juli erinnert sich Bad Bevensen an Wilhelm I. und den Kronprinzen. Wie ein König soll sich der Reisende in Uelzens Hundertwasser-Bahnhof fühlen. Schnöder Handel wird mittwochs und samstags in der Lüneburger Straße getrieben (im Uhrzeigersinn).

Friedensreich Hundertwasser hat Uelzen nie gesehen, und doch prägte der im Jahr 2000 verstorbene österreichische Künstler und Architekturphilosoph die Stadtentwicklung entscheidend, denn er lieferte 1999 den Entwurf für eine Umgestaltung des kaiserzeitlichen Bahnhofs, heute die größte Touristenattraktion des Städtchens. Das von Hundertwasser geschaffene, gut einen mal zweieinhalb Meter große Modell, einziger Anhaltspunkt für Projektarchitekten und Handwerker, steht im Rathaus. Wichtigste Merkmale sind fröhliche Farbigkeit der vielgestaltigen Keramiksäulen, Vermeidung gerader Linien und ebener Flächen sowie die goldenen Kugeln, die Glaskuppel und Dachsäulen bekrönen. Das zur Weltausstellung 2000 eingeweihte Kunstwerk, an dem sporadisch immer noch weitergebaut wird, hat Uelzen neuen Schwung gebracht. In Cafés und Geschäften wimmelt es von Hundertwasser-Inspirationen, moderne Kunst nimmt im öffentlichen Raum neuerdings viel Platz ein.

MITTELALTERLICHE WELTSICHT

Hundertwassers zweite Heimat Neuseeland fehlt auf der Weltkarte, die Mitte des 13. Jahrhunderts im Kloster Ebstorf bei Uelzen entstand. Das fast vier mal vier Meter große Original auf dreißig Schafshäuten verbrannte im Zweiten Weltkrieg, konnte jedoch nach Fotografien originalgetreu rekonstruiert werden. Die Weltkarte war zur geografischen Orientierung ungeeignet, denn sie zeigte die Welt aus mittelalterlich-christlicher Sicht als kreisrunde Scheibe, deren Mittelpunkt Jerusalem bildet. Das Mittelmeer trennt die drei damals bekannten Kontinente Afrika, Europa und Asien voneinander.

Dass die Karte tatsächlich in der Heide entstand, belegt die kleinteilige Darstellung der Region. Zwischen Bremen, Verden, Lüneburg, Braunschweig, Hannover und Paderborn ist links unten Kloster Ebstorf mit seinen Märtyrergräbern eingetragen.

Erinnerungen an die gute alte Zeit: Aus dem nahen Osloß stammende Bockwindmühle von 1816 ...

Traktorentreffen im Museum Hösseringen

... und Mühlen aus südlichen Ländern in Gifhorns Internationalem Mühlenmuseum.

MEHR ALS EIN TIERGARTEN

Als die Weltkarte entstand, war der Fischotter in der Heide noch in großer Zahl heimisch. Flussbegradigungen, sinkende Wasserqualität, Bejagung und Autoverkehr haben dafür gesorgt, dass er inzwischen überall in Mitteleuropa vom Aussterben bedroht ist. Seiner Rettung hat sich die Aktion Fischotterschutz in Hankensbüttel verschrieben. Dort steht das jährlich von 100 000 Menschen besuchte Otterzentrum, in dem Fischotter und ihre nahen Verwandten Dachs, Iltis, Hermelin, Stein- und Baummarder in ihnen gemäßer Umgebung beobachtet werden können. Der Baummarder hat seinen Wald, der Steinmar-

der seine Scheune, der Hermelin fühlt sich in der Heide am wohlsten. Für den Verein und seine fünfzig Mitarbeiter ist die Tierschau nur Teil eines umfangreichen Programms. Am Heideflüsschen Ise gelang es, den Fischotter nach über zwanzig Jahren wieder heimisch zu machen. Dazu mussten Grundstücke angekauft werden, die dann unter der Auflage zurückhaltender Nutzung als Grünland wieder verpachtet wurden. Jetzt bemüht man sich im Rahmen eines Großprojekts, Verbindungsgewässer für die Otterpopulationen in Mecklenburg-Vorpommern, Schleswig-Holstein, an der Ise, Ilmenau und Elbe zu schaffen. Dazu müssen Straßen untertunnelt und

Laufbretter unter Brücken eingebaut sowie Schutzmaßnahmen für Fischteiche getestet werden. Der Otter soll sich keine Feinde unter den Menschen machen – wie beim Kormoran geschehen.

VOM LEBEN IM DAMENSTIFT

Nur einen kurzen Spaziergang vom Otterzentrum entfernt wird das 1243 von Zisterziensern gegründete Kloster Isenhagen seit 1540 von evangelischen Stiftsdamen bewohnt. Anders als früheren Nonnen steht jeder Konventualin im Kloster eine eigene Zweizimmerwohnung mit Küche und Bad zur Verfügung. Nach ihrer Bewerbung um Aufnahme, Probewohnen und Probezeit im

Gifhorns Altes Rathaus; Blick in den Nonnenchor der Klosterkirche Ebstorf und das Prunkstück des Klosters: die Weltkarte; Besuch im Gifhorner Renaissanceschloss, das heute das Stadtmuseum beherbergt (im Uhrzeigersinn).

Im Hof des Gifhorner Renaissanceschlosses

Für ein einig Vaterland

Bis Oktober 2011 wird das Hoffmann-von-Fallersleben-Museum in Wolfsburg renoviert.

Den meisten ist er allenfalls als Verfasser des 1841 auf Helgoland geschriebenen Deutschlandliedes bekannt: der deutsche Dichter August Heinrich Hoffmann (1798–1874), der sich von Fallersleben nannte.
Reichspräsident Friedrich Ebert erhob 1922 Hoffmanns Text mit der Musik von Joseph Haydn zur deutschen Nationalhymne, die das Lied, auf die dritte Strophe reduziert, seit 1952 wieder ist. Der in Fallersleben – heute ein Stadtteil von Wolfsburg – als Sohn eines Gastwirts und Bürger-

meisters geborene Dichter versuchte, seinen Begabungen, seinen Freundschaften und vor allem seinem Streben nach deutscher Einheit und mehr Rechten für die Bürger in einer Zeit gerecht zu werden, die eher von Willkür der Obrigkeit, Polizei und Militär, Pressezensur und Kleinstaaterei geprägt war. Der Verlust seiner Professur und damit verbundene wirtschaftliche Not, Ausweisung aus Preußen, Verfolgung und Bespitzelung waren der Preis, den Hoffmann dafür bezahlen musste.

Kloster werden die meist im Rentenalter stehenden Damen von Ortspastor und Äbtissin eingesegnet und übernehmen individuelle Aufgaben wie Gartenpflege oder Besucherführungen. Zum geistlichen Leben gehören verpflichtend Mittagsgebet, Wochenendschlussandacht und Sonntagsgottesdienst; ansonsten ist eine individuelle Lebensführung durchaus möglich. Zurzeit sind im Kloster noch Plätze frei!

GIFHORNS MÜHLENLANDSCHAFT
Bei Gifhorn sieht man sich plötzlich einem Wald von Windmühlen gegenüber, in denen der erfahrene Weltenbummler Mühlen von Mykonos, Mallorca, der Algarve, aus deutschen Landen und der Ukraine erkennt. Noch mehr überrascht der Nachbau einer russischen Holzkirche und der eines monumentalen russischen Klosters, für das Michail Gorbatschow 1996 den Grundstein legte. Es soll ein Zentrum für die Ausbildung osteuropäischer Kunsthandwerker werden, doch für den Ausbau fehlt das Geld. Das Mühlenmuseum ist nämlich das Lebenswerk einer aus Oberschlesien stammenden Familie, die es privatwirtschaftlich betreibt. Horst Wrobel, einst Werbegestalter in einem Kaufhaus und schon als Kind begeisterter Modellbauer, entdeckte an einem kleinen Mühlenmodell seine Leidenschaft und baute

Ganz im Hier und Jetzt – oder in der Zukunft: Mondo-Club (links) in der „Autostadt" (unten); von der irakischen Architektin Zaha Hadid entworfener Bau des Wissenschaftsmuseums Phaeno (rechts).

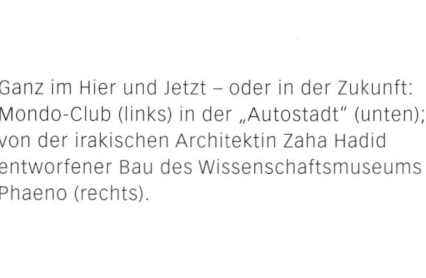

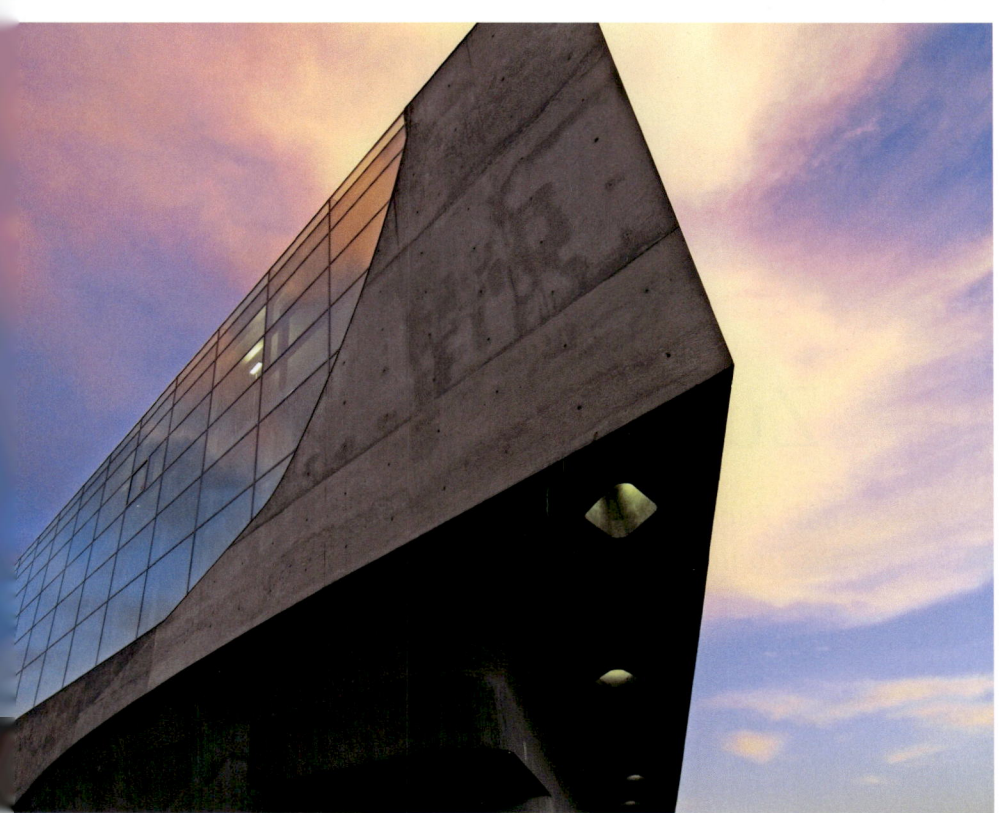

seit 1977 mit etwas Hilfe von Stadt- und Landkreis Gifhorn Europas größtes Mühlenmuseum auf. Heute zählt es über 150 000 Besucher im Jahr.

ZWISCHEN WERK UND WOHNUNG

Zwei Buchstaben haben die erst 1938 gegründete „Stadt des KdF-Wagens bei Fallersleben" weltbekannt gemacht: VW. Durch die „Autostadt" wurde sie zum Touristenmagneten. Führer und Partei stellten dem Volk in Aussicht, hier einen erschwinglichen „Kraft-durch-Freude-Wagen" zu produzieren – doch von der Werkseröffnung 1941 bis Kriegsende wurden nur Rüstungsgüter hergestellt. Alliierter Bombenhagel zerstörte das Werk zu zwei Dritteln.

Bestand hatten die bis 1942 fertiggestellten 3000 Wohnungen auf der Südseite des Mittellandkanals. Hier gelang den Planern, was sie beabsichtigt hatten: gemeinschaftsfördernde Siedlungsformen in viel Grün einzubinden. Der erste, bereits 1939 bezugsfertige Stadt-

Die Straßen tragen zu Recht Namen wie „Waldpfad" und „Unter den Eichen".

teil Steimker Berg mit seinen 483 Wohnungen in ein- und zweigeschossigen Reihenhäusern ist heute noch ein beliebtes Wohngebiet, dem der Marktplatz Dorfcharakter verleiht. Die Straßen tragen zu Recht Namen wie „Unter den Eichen", „Waldpfad" und „Am Wiesengrund". Die Fortschrittlichkeit des Schillerteichviertels mit seinen zwei- und dreigeschossigen, um weite, durch Torbögen erschlossene Innenhöfe angeordneten Mietshäusern wird so recht bewusst, wenn man sich die Mietskasernen und Hinterhöfe des damaligen Berlin ins Gedächtnis ruft. Bis Kriegsende war das Viertel freilich nur für Deutsche eine Heimstatt. Die ausländischen Zwangsarbeiter wurden zwischen Schillerteich und Werk in Barackenlagern zusammengepfercht.

Süße Heide – Zucker & Co.

Noch vor gut 200 Jahren galt Zucker als Luxusprodukt. Das einfache Volk verwendete bestenfalls Honig zum Süßen. Heute ist es eher umgekehrt.

Zucker gibt es in vielen verschiedenen Farben und Formen für unterschiedliche Verwendungszwecke.

Die Heideregion bringt beides hervor: köstlichen Heidehonig für den Ernährungsbewussten und Zucker als Massenprodukt für Haushalt und Industrie. In Uelzen steht die größte von fünf Zuckerfabriken der in ganz Niedersachsen und Sachsen-Anhalt aktiven Nordzucker AG. Hier werden an etwa 110 Herbst- und Wintertagen im Jahr rund acht Millionen Tonnen Zuckerrüben verarbeitet. Die Anlieferung durch Bauern und Transportunternehmen ist bis ins kleinste Detail geplant. Bis alle Rüben Ende Januar abgeliefert sind, prägen lange Rübenhalden den Anblick der Felder, sind Rübentransporter ebenso auf allen Straßen unterwegs wie die Trecker mit ihren Kartoffelanhängern.

VON DER RÜBE ZUM ZUCKER

Auf einem Hektar Rübenacker wachsen rund 80 000 Pflanzen, können sechzig Tonnen Zuckerrüben geerntet werden, und jede Rübe bringt rund 110 Gramm Zucker. Die jährliche Zuckerkampagne beginnt mit der Ernte im September. Die Blätter werden gleich abgeschnitten und dienen als Dünger. Die Rüben werden zumeist auf den Feldern gelagert, bis die Fabrik sie abruft. Vorgereinigt werden sie in die Fabrik gebracht, überprüft, gewaschen und geschnitzelt. Mit siebzig Grad heißem Wasser löst man den Zucker aus den Rübenschnitzeln. Der schwarzblaue Rohsaft wird durch Zusatz von Kalk und Kohlensäure gereinigt. So entsteht der Dünnsaft mit etwa sechzehn Prozent Zucker-

Was mit der Zuckerrübenernte in Uelzen beginnt, endet zum Beispiel in der Lüneburger Schokoladenmanufaktur.

gehalt. Durch mehrmaliges Verdampfen wird er eingedickt, bis sich goldgelbe Kristalle bilden. In einer Zentrifuge trennt man Sirup und Kristalle. Der Sirup wird als süße Melasse an die anfangs ausgepressten Rübenschnitzel angetrocknet, die als wertvolles Viehfutter zurück auf die Höfe gehen. Die Zuckerkristalle werden erneut in Wasser gelöst, gekocht und zentrifugiert, bis nach insgesamt zwölf bis sechzehn Stunden die Raffinade als weißer Zucker von höchster Reinheit entsteht.

DER SIEGESZUG DER ZUCKERRÜBE

Zucker wird in Uelzen seit 1885 produziert. Damals gab es in Deutschland noch über 300 Zuckerfabriken. Anbau und Verarbeitung der Rübe war im Lauf des 19. Jahrhunderts immer lukrativer geworden. Als der Chemiker Andreas Sigismund Marggraf 1747 zum ersten Mal Runkelrüben auf ihre Verwendung als Zuckerlieferanten untersuchte, besaßen sie einen Zuckergehalt von gerade einmal 1,6 Prozent. Die von seinem Schüler Franz Karl Achard um 1800 ausgewählten Zuchtrüben brachten es schon auf sechs Prozent, daraufhin ließ er 1801 in Schlesien die erste Rübenzuckerfabrik bauen. Für hundert Kilo Zucker benötigte man noch etwa 1500 Kilo Rüben – hundert Jahre später waren es nur noch 730. Als die vom napoleonischen Frankreich gegen England befohlene Kontinentalsperre (1807–1813) die Rohrzuckerpreise in ungeahnte Höhen schießen ließ, wurden Forschung und Anbau mit Hochdruck betrieben. So liegt der Zuckergehalt der Heiderüben heute bei über achtzehn Prozent, die Zuckerproduktion jedoch fast komplett in den Händen dreier Großkonzerne.

HONIG STATT ZUCKER

Vor der Entdeckung der Runkelrübe als Zuckerlieferant wurde das Süßmittel allein aus Zuckerrohr gewonnen. Ursprünglich auf Neuguinea heimisch, kam es über Indien und Arabien in den Mittelmeerraum und wurde noch vor 500 Jahren beispielsweise auf Rhodos und Zypern angebaut. Auch nach der Gründung riesiger, von Sklaven bewirtschafteter Zuckerrohrplantagen in Mittelamerika blieb Rohrzucker in Mitteleuropa ein kostbares Gut, das sich die wenigsten leisten konnten. An barocken Fürstenhöfen wie dem in Celle inszenierte man fantasiereiche Tafelaufbauten aus Zuckerguss, das einfache Volk dagegen verzehrte höchstens zwei Stück Würfelzucker im Jahr. Sein Süßstoff war der Honig, den die Heidebienen fleißig lieferten. Bienenzäune in freier Natur und in Freilichtmuseen erläutern die alte Technik anschaulich. Heute können die Imker sogar die Hilfe einer Zuckerfabrik in Anspruch nehmen: Nordzucker stellt unter dem Markennamen „Ambrosia" ein Bienenfuttermittel für das blütenlose Halbjahr und andere Notlagen her.

BESUCH IN DER ZUCKERFABRIK

Werksführungen werden während der Kampagne zwischen Anf. Okt. und Anf. Jan. tgl. 9.30 und 14.30 Uhr angeboten. Telefonische Anmeldung erbeten.

Nordzucker AG, An der Zuckerfabrik 1, 29525 Uelzen, Tel. 0581/89156, Fax 89101, www.nordzucker.de

Hightech im Bauernland

Zwischen Uelzener Zuckerfabrik und Wolfsburger Volkswagenwerk prägen weite Felder die Landschaft nahe der ehemaligen deutsch-deutschen Grenze und dem Elbe-Seitenkanal. Alte Heideklöster und ein Freilichtmuseum bezeugen die Verbundenheit mit der übrigen Region, moderne Kunst und Architektur setzen unerwartete Akzente.

01 BAD BEVENSEN

Die 1975 wegen ihrer Solequelle zum Bad erhobene Kleinstadt (8800 Einw.) besitzt am Ufer der Ilmenau den schönsten Kurpark der Heide. Zwei bedeutende Heideklöster stehen in unmittelbarer Umgebung des 1000-jährigen Ortes, der 1811 einem Großbrand zum Opfer fiel.

Sehenswert

Kloster Medingen ist das einzige Heidekloster im Stil des frühen Klassizismus (heute ev. Damenstift); seine Kirche (spätes 18. Jh.) ist kreisrund (Klosterweg 1, Tel. 05821/2286, www. kloster-medingen.de; Führungen Ostern–Mitte Okt. Di.–Sa. 10.00, 14.00–17.00, So. 11.00, 14.00 bis 17.00 Uhr).

Aktivitäten

Die Jod-Sole-Therme bietet zwei ganzjährig 32 °C warme Freiluftbecken (Dahlenburger Str. 1, Tel. 05821/5771, www.jod-sole-therme.de; Mo. bis Sa. 8.00–22.00, So. bis 20.00 Uhr), der Golfplatz 3 km nördl. (Tel. 05821/98250, www. gc-badbevensen.de) 18 Bahnen.

Umgebung

15 km südwestl. steht das seit 1197 dokumentierte Kloster Ebstorf (14. und 15. Jh.). In den farbigen Glasfenstern (um 1400) im Kreuzgang sind je einem neu- drei alttestamentarische Ereignisse zugeordnet. Wertvollstes Objekt im Klostermuseum ist die rekonstruierte Weltkarte aus dem 13. Jh. (Kirchplatz 10, Tel. 05822/2304, www.kloster-ebstorf.de; Führungen April–Mitte Okt. Di.–Sa. 10.00–11.00, 14.00–17.00, So. 11.15, 14.00–17.00, sonst nur 14.00 Uhr).

Information

Bad Bevensen Marketing, Dahlenburger Str. 1, 29549 Bad Bevensen, Tel. 05821/570, Fax 5766, www.bad-bevensen-tourismus.de

02 UELZEN

Die fünftgrößte Stadt in der Region (37000 Einw.) entwickelt sich seit einigen Jahren zu einem Zentrum zeitgenössischer Kunst im öffentlichen Raum. Alte Bausubstanz ist kaum erhalten, da die schon 1270 gegründete einstige Hansestadt 1945 noch in den letzten Kriegstagen schwer zerstört wurde.

Sehenswert

Der von Friedensreich Hundertwasser (1928 bis 2000) umgestaltete Bahnhof ▶ TOPZIEL (urspr. 1888) ist seit 2000 Hauptattraktion der Stadt. Auf dem Weg der Steine mit 21 von der Künstlerin Dagmar Glemme bemalten Granitblöcken gelangt man durch die Altstadt zum Alten Rathaus (14. und 18. Jh.) und zur St.-Marien-Kirche (13. und 20. Jh.) mit dem in der Turmhalle ausgestellten „Goldenen Schiff", einem wohl von einem Uelzener Kaufmann im 14. Jh. aus London mitgebrachten Tafelaufsatz aus vergoldetem Kupferblech (Pastorenstraße; Ostern bis Ende Sept. Mo.–Do. 10.00–13.00, 14.00–17.00, Fr./Sa. 10.00–17.00, So. 14.30–16.00 Uhr).

Bewohner des Otterzentrums Hankensbüttel

Umgebung

Im 1700–1709 erbauten Schloss Holdenstedt (5 km südl.) zeigt die Gläsersammlung Röver Gebrauchsgläser aus dem 17. bis Anf. 20. Jh. und das Heimatmuseum Wohnkultur vom Mittelalter bis zum Jugendstil (Schlossstr. 4, Tel. 0581/6037, www.schloss-holdenstedt.de; März bis Okt. Di.–Sa. 14.30–17.00, So. ab 11.00, Nov., Dez. Mi., Sa. 14.30–17.00, So. ab 11.00 Uhr). Im Kneipp- und Schrothkurort Bad Bodenteich (17 km südl.) sind geringe Reste einer mittelalterlichen Wasserburg erhalten. Die 1836 geweihte Kirche St. Petri (Hauptstr. 9, Schlüssel im „Café Hofmann" schräg gegenüber) besitzt eine sehenswerte klassizistische Kassettendecke im Tonnengewölbe.

Veranstaltungen

Die Holdenstedter Schlosswochen stellen an drei Wochenenden Ende Aug.–Mitte Sept. Konzerte und Operngalas unter ein Motto (Tel. 0581/8006247, www.kk-uelzen.de).

Information

HeideRegion Uelzen, Herzogenplatz 2, 29525 Uelzen, Tel. 0581/73040, Fax 72384, www.heideregion-uelzen.de

03 HÖSSERINGEN

Bewegte Endmoränen prägen die waldreiche Landschaft um das landwirtschaftliche Dorf im Hardau-Tal. Im nahen Museumsdorf werden alte Zeiten ebenso lebendig wie im Dorf-Café.

Sehenswert

Der 1936 als Gedenkstätte angelegte Landtagsplatz vor dem Museumsdorf erinnert an den Versammlungsplatz der Lüneburger Landstände zwischen dem 13. Jh. und 1652. Im Museumsdorf zeigen 26 hierher umgesetzte und zu einem typischen Haufendorf und einem Einzelhof zusammengefügte Originalgebäude, wie man zwischen 1600 und 1950 in der Heide lebte. An Aktionstagen wird traditionelles Handwerk gezeigt (Am Landtagsplatz, Tel. 05826/1774, www.museumsdorf-hoesseringen.de; Mitte März bis Okt. Di.–So. 10.30–17.30 Uhr).

Aktivitäten

Der künstlich angelegte, 8 ha große Hardausee lädt mit seinem Sandstrand nicht nur zum Burgenbauen, sondern auch zum Baden, Angeln und Tretbootfahren ein.

Umgebung

180 Stufen führen auf den Aussichtsturm zwischen Hösseringen und Räber. Von der Plattform in 32 m Höhe überblickt man bei klarer

Infos

Sicht weite Teile der Heide (März–Mitte Okt. tgl. 9.00–18.00, sonst bis 16.00 Uhr).

Information

Tourist-Information Suderburger Land, Haus des Gastes, Räberweg 4, 29556 Hösseringen, Tel. 0 58 26 / 16 16, Fax 9 08 70, www.suderburg.de

04 HANKENSBÜTTEL

Kleine Heideflächen umgeben den Luftkurort (4400 Einw.), der schon 1051 erstmals erwähnt wurde. Bekannt ist er für das Otterzentrum und den Isenhagener See, der aus klösterlichen Fischteichen entstand.

Sehenswert

Damit man Dachs, Iltis, Hermelin, Stein-, Baummarder und vor allem Fischotter auch wirklich zu Gesicht bekommt, finden im **Otterzentrum Hankensbüttel ▶ TOPZIEL** alle 15 Min. Fütterungen statt (Tel. 0 58 32 / 9 80 80, www.otterzentrum.de; April–Okt. tgl. 9.30–18.00, Febr., März, Nov. bis 17.00 Uhr). Am Ortsrand ragt das 1243 gegründete einstige Zisterzienserinnen-**Kloster Isenhagen** (heute ev. Damenstift) mit seiner gotischen Backsteinkirche (bis 1366) auf. Der Klostergarten wurde nach den Prinzipien eines Obst- und Gemüsegartens um 1750 angelegt. Das Klostermuseum zeigt u. a. wertvolle Stickereien mit Süßwasserperlen der Heideflüsse (Klosterstr. 2, Tel. 0 58 32 / 3 13, www.kloster-isenhagen.de, Führungen Anf. April–15. Okt. Di., Do., Sa. 15.00–17.00, Mi., Fr. 9.30–11.00, So. 14.00–17.00 Uhr, Karfreitag geschl.).

Museum

Im **Klosterhofmuseum** geht es einmal nicht um Sakrales, sondern um die Wirtschaftsstrukturen und -geschichte eines Konvents (www.museen-gifhorn.de; März–Nov. Mi.–Sa. 14.00 bis 16.00, So. 11.00–17.00 Uhr). Am Klosterhofmuseum beginnt der **Kloster-Rundweg**, der in rund 1 Std. zeigt, wie sich das Wirtschaften des Klosters auf die Landschaft auswirkte, z. B. durch Fischteiche oder Hopfengärten.

Umgebung

In **Steinhorst** (15 km südwestl.) dreht sich im Schulmuseum (Marktstr. 20, Tel. 0 51 48 / 40 15, www.museen-gifhorn.de; Mi.–Sa. 14.00–16.00, So. 11.00–17.00 Uhr) alles um Unterricht in vergangenen Zeiten; auch die NS-Zeit wird nicht ausgespart.

Information

Südheide Gifhorn Gesellschaft, Bahnhofstr. 29 a, 29386 Hankensbüttel, Tel. 0 58 32 / 70 66, Fax 70 68, www.suedheide-gifhorn.de

„Meilensteine der Automobilität" – Zeitreise in VWs Autostadt

05 GIFHORN

Die Kreisstadt (42 000 Einw.) am Zusammenfluss von Ise und Aller versteht sich als modernes Automobilkompetenzzentrum mit Zulieferbetrieben für das Wolfsburger Volkswagenwerk. 1539–1549 war Gifhorn für kurze Zeit Residenzstadt eines gleichnamigen Herzogtums. Diverse Brände zerstörten die alte Stadtstruktur.

Sehenswert

Zur geringen historischen Bausubstanz in der Altstadt gehören das frühere **Rathaus** (1562; Cardenap 1, heute „Ratsweinkeller"), das 1570 erbaute **Höfersche Haus** gegenüber und das **Kavaliershaus** (1546; Steinweg 3). Die schlichte Barockkirche **St. Nicolai** (1734–1744) atmet fast hörbar den Geist des Protestantismus (keine Innenbesichtigung). Noch deutlich als Wasserschloss erkennbar ist das **Renaissance-Schloss** (1525–1591; gelegentlich Führungen).

Museen

Eine Chance, das Gifhorner Schloss von innen zu sehen, bietet das **Historische Museum Schloss Gifhorn** mit Exponaten aus der Regionalgeschichte. Vom Museum aus sind die Emporen der Schlosskapelle zugänglich, bei deren Weihe Martin Luther anwesend war (Schlossplatz, Tel. 0 53 71 / 8 24 24, www.museen-gifhorn.de; Di.–Fr. 14.00–17.00, Sa./So. ab 11.00 Uhr). Am Stadtrand liegt das **Internationale Mühlenmuseum** (Bromer Str. 2, Tel. 0 53 71 / 5 54 66, www.muehlenmuseum.de; Mitte März–Okt. tgl. 10.00–18.00 Uhr).

Information

Südheide Gifhorn Gesellschaft, Marktplatz 1, 38518 Gifhorn, Tel. 0 53 71 / 8 81 75, Fax 8 83 11, www.suedheide-gifhorn.de

06 WOLFSBURG

Wolfsburgs Geschichte und Gegenwart sind eng mit dem Volkswagenwerk verknüpft – die heutige Großstadt (120 000 Einw.) am Mittellandkanal entstand 1938 als Werkssiedlung. Mittlerweile haben Kunst und Kultur den gleichen Stellenwert wie Technik, Naturwissenschaften und Konsum. Selbst der Fußball-Bundesligaclub VfL Wolfsburg, deutscher Meister 2009, wirkt identitätsstiftend.

Sehenswert

Historisch interessant sind die **Wohnsiedlungen** aus der NS-Zeit am Steimker Berg und westl. des Schillerteichs, zwischen Goethe-, Schiller-, Lessing- und Heinrich-Heine-Straße. Namengebend für die Stadt wurde nach dem Krieg das trutzige Weserrenaissance-**Schloss Wolfsburg** (überw. 16. Jh.), dessen ältester erhaltener Teil der Bergfried (13. Jh.; 23 m) ist. Hundert Jahre später entstand der Bergfried von **Schloss Neuhaus** (überw. 16. Jh.) im eingemeindeten Dorf Neuhaus südöstl. des Zentrums. In der im 17. Jh. in der heutigen Form entstandenen **St.-Marien-Kirche** nahe Schloss Wolfsburg hängt ein Holzkruzifix (14. Jh.) mit Echthaarperücke.

Museen

140 Fahrzeuge aus dem Hause VW, darunter Unikate und Prototypen, zeigt das **Auto-Museum** (Dieselstr. 35, Tel. 0 53 61 / 5 20 71, www.automuseumvolkswagen.de; Di.–So. 10.00 bis 18.00 Uhr). Wolfsburgs kulturellen Anspruch untermauert das **Kunstmuseum,** das sich der modernen und zeitgenössischen Kunst widmet; eine Besonderheit ist der Japangarten mit Meditationsbereich (Hollerplatz 1, Tel. 0 53 61 / 2 66 90, www.kunstmuseum-wolfsburg. de; Di.

DuMont Aktiv

11.00–20.00, Mi.–So. bis 18.00 Uhr). Einblicke in die Alltagskultur der Volkswagenstadt im 20. Jh. vermittelt mit kritischem Blick das kleine **Stadtmuseum** in der Remise des Wolfsburger Schlosses (Alt-Wolfsburg, Tel. 0 53 61 / 82 85 40, Di.–Fr. 10.00–17.00, Sa. 13.00–18.00, So. 11.00 bis 18.00 Uhr). Im restaurierten Renaissance-**Schlösschen von Fallersleben** erinnert das Hoffmann-von-Fallersleben-Museum für deutsche Dichtung und Demokratie an den Dichter und seine Zeit (Wolfsburg-Fallersleben, Schlossplatz, Tel. 0 53 61 / 5 26 23; wegen Renovierung bis Okt. 2011 geschlossen). Hoffmanns Geburtshaus ist Teil des „Hotels Fallersleben".

Aktivitäten

Wolfsburgs größte Attraktion ist die vom VW-Konzern geschaffene **Autostadt** ▶ TOPZIEL (Tel. 08 00 / 2 88 67 82 38, www.autostadt.de, tgl. 9.00 bis 18.00 Uhr). Auf 25 ha und in mehreren großräumigen Bauten geht es nicht nur um Volkswagen und seine Marken, sondern um das Thema Mobilität schlechthin. An Produktionstagen kann man an Werksführungen teilnehmen (10.15–16.15 Uhr). Angeboten wird auch eine Bootsfahrt auf dem Mittellandkanal entlang dem VW-Werk. Aha-Erlebnisse aus den Bereichen Naturwissenschaft und Technik vermittelt das **Phaeno** in einem 2005 eröffneten Bau der weltbekannten Architektin Zaha Hadid mit über 350 Experimentier-Exponaten, Besucherlaboren und Shows (Willy-Brandt-Platz 1, Tel. 01 80 / 1 06 06 00, www.phaeno.de; Di.–Fr. 9.00–17.00, Sa./So. 10.00–18.00 Uhr). Dem Himmel zugewandt gibt sich das **Planetarium** mit großem Vorstellungsprogramm (Uhlandweg 2, Tel. 0 53 61 / 8 99 93 20, www.planetarium-wolfsburg.de).

Einkaufen

In zwei Stahl- und Glaskonstruktionen, die am Mittellandkanal angelegte Schiffe symbolisieren, bietet **Designer Outlets Wolfsburg** bekannte Labels unter Listenpreis – Kollektionen der Vorsaison, Musterkollektionen und 1B-Ware, nicht nur aus dem Textilbereich (An der Vorburg 1, www.designeroutlets.com; Mo.–Sa. 10.00–19.00 Uhr, verkaufsoffene So.).

Veranstaltungen

Bei den **Movimentos** (Mitte April–Ende Mai), den Festwochen der Autostadt, steht zeitgenössischer Tanz im Vordergrund, ergänzt durch szenische Lesungen sowie Konzerte von Pop über Jazz bis zur Klassik.

Information

Tourist-Information im Hauptbahnhof, Willy-Brandt-Platz 3, 38440 Wolfsburg, Tel. 0 53 61 / 89 99 30, Fax 8 99 93 94, www.wolfsburg-marketing.de

Sportliches Wolfsburg

In Wolfsburg können sportliche Stadtbesucher gut aufs Auto verzichten. Am Bahnhof werden Fahrräder vermietet – und im Allerpark stehen trendige Segways für Stadterkundungen bereit. Die einachsigen Gefährte mit E-Motoren werden nur durch Gewichtsverlagerung gelenkt.

Die Tourist-Information im Hauptbahnhof hält neben Tourenrädern und Mountainbikes auch Tandems, Kinderräder sowie Anhänger für Kind und Hund bereit. Damit oder mit trendigen Segways werden Stadtrundfahrten zum Erlebnis.

Die Segways vermietet der Klettergarten Monkeyman im Allerpark, Wolfsburgs citynahem Sportparadies. Für Erwachsene stehen vier verschiedene Parcours bereit. Für die Kleinen unter 1 m Körpergröße wird ein Parcours auf nur 1,50 m Höhe angeboten. Selbst Romantiker kommen nicht zu kurz: Für sie ist der Kletterpark in manchen Vollmondnächten geöffnet.

Sportliche Abenteuer für Mutige ...

VIELERLEI WASSERSPASS

Der Allerpark lockt auch mit seinen Wasserflächen. Den Allersee säumt ein langer Sandstrand. Im Badeland ziehen Schwimmer ihre Bahnen in 28 °C warmem Wasser, Kinder haben ihren Spaß in den beiden 110 und 139 m langen Röhrenrutschen – und Genießer lassen sich im 32 °C warmen Mediterranbecken von der Strömung treiben, springen in die Brandung des Wellenbads oder schwitzen in einer der elf Saunen in der Saunalandschaft. Alternative für Aktive ist die nahe Wasserskianlage, die auch Wakeboarder über einen künstlichen See zieht.

... wie für Wasserfans im Allerpark.

WEITERE INFORMATIONEN

Fahrradverleih im Hauptbahnhof:
Mo.–Sa. 9.00–18.00, So. 10.00–15.00 Uhr; Tel. 0 53 61 / 89 99 30

Klettergarten und Segways im Allerpark:
Tel. 08 00 / 2 22 78 88, www.monkeyman.eu

Badeland im Allerpark:
Tel. 0 53 61 / 8 90 00, www.badeland-wolfsburg.de

Wasserski und Wakeboarding im Allerpark:
Tel. 0 53 61 / 6 09 39 89, www.wake-park.de

Natur-
paradies an
der Elbe

Immer am oftmals noch naturnah wirkenden Fluss entlang führt die Elbuferstraße in teils kräftigem Auf und Ab von Bleckede bis Schnackenburg. Einst eingezwängt von der deutsch-deutschen Grenze, ist das Wendland mit seinen markanten Rundlingsdörfern stilles Refugium für Künstler und Kunsthandwerker, aber auch Schauplatz schriller Proteste der Anti-Atom-Bewegung.

Wenn in Böhmen der Schnee schmilzt,
gibt es an der Elbe Hochwasser.

In Hitzackers Archäologischem Zentrum; Blick vom Weinberg auf das Elbestädtchen, durch das in der Pferdefestwoche ein historischer Umzug zieht. Dömitz am nördlichen Elbufer besitzt eine gut erhaltene Festungsanlage (im Uhrzeigersinn).

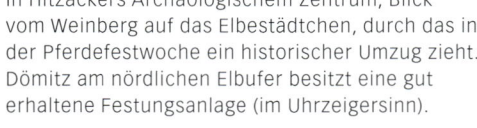

Die Eiszeiten haben die Landschaft überall in der Heide geprägt. An den Steilufern der Elbe, in den Wäldern des Drawehn und in der Clenzer Schweiz wird das besonders deutlich. Die Elbuferstraße weist bis zu stattliche vierzehn Prozent Gefälle auf, in Clenze ist man stolz auf die einzige Serpentine weit und breit. Dort erzählt ein Findlingsgarten so manches über die Erdgeschichte und die Kraft der einstigen Gletscher. Die Dörfer im Wendland lassen noch immer frühe Siedlungsformen der Slawen erkennen, beeindrucken durch ihre Geschlossenheit, oftmals touristische Unberührtheit und eine lebendige alternative Szene, für die das allerorten zur Schau gestellte gelbe Andreaskreuz der Atomkraftgegner zum Symbol wurde.

EISZEIT IN DER HEIDE

Eines überrascht Besucher aus südlicheren deutschen Gefilden immer wieder: Die Heide ist keineswegs flach. Dafür haben in der letzten halben Million Jahre drei Eiszeiten gesorgt, von denen die letzte erst vor etwa 10 000 Jahren zu Ende ging. Dabei schoben sich bis zu tausend Meter mächtige Gletscher bis an den Rand der deutschen Mittelgebirge

Eines überrascht Besucher aus südlicheren deutschen Gefilden immer wieder: Die Heide ist keineswegs flach.

vor und transportierten unvorstellbare Geröllmengen und Felsbrocken aus Skandinavien bis in die Heide – die allgegenwärtigen Findlinge. Kam das Eis zum Stehen, türmten sich Erde und Geröll vor und neben den Gletschern zu zerklüfteten End- und Randmoränen. Vor diesen Geröllhalden und den abschmelzenden Gletschern schuf die Gewalt des Wassers breite Urstromtäler – so das der Elbe, der Aller und der Weser. Frost sowie durch Wasser und

Die Auwälder sind es gewöhnt, zeitweise im Hochwasser zu stehen.

Seltener Anblick für Radwanderer: Jugendkutter
auf der Elbe bei Bleckede

Der Raddampfer „Kaiser Wilhelm" verkehrt in den
Sommermonaten zwischen Lauenburg und Hitzacker.

In Neu-Darchau zwischen Bleckede und Hitzacker setzt eine Fähre zum Amt Neuhaus über.

Wind verursachte Bodenbewegungen und Sandablagerungen schliffen die meisten Altmoränen ab, die heute vorherrschende sanfte Hügellandschaft der Geest entstand. Der Begriff ist vom niederdeutschen „Güst" abgeleitet, was „unfruchtbar" bedeutet. Der Geest zum Fluss hin vorgelagert ist das fruchtbare Schwemmland der Marsch, wie sie zwischen Bardowick und Winsen an der Luhe zu finden ist.

VOM STROM GEPRÄGT

Zwischen Schnackenburg und Artlenburg trifft die Geest auf das bis zu sechzehn Kilometer breite Urstromtal der Elbe mit seinen Altarmen und Brackwassern. Jede Jahreszeit wird hier zum Erlebnis. Allein 70 000 Saat- und Blässgänse zählen zu den gefiederten Wintergästen, hinzu kommen Enten, Sing- und Zwergschwäne in großer Zahl. Im Frühjahr brüten in der Elbtalaue etwa 150 Vogelarten, in fast jedem Dorf nistet mindestens ein Storchenpaar. Der Kranich rastet hier im Frühling und im Herbst, Botaniker haben ungefähr 1300 Pflanzenarten gezählt. Hinter den Deichen schließt sich an die Auenlandschaft die Elbmarsch an, bietet seltenen Vögeln wie Schwarzspecht und Seeadler Nistplätze. Bewaldet sind die eiszeitlichen Höhenzüge der Klötze und des Höhbeck, aus dem die Elbe im Lauf

von Jahrtausenden bis zu sechzig Meter hohe Steilhänge angeschnitten hat.

JENSEITS DER ELBE

Die 97 Elbkilometer zwischen Schnackenburg und Lauenburg bildeten bis zur Wiedervereinigung einen nassen Teil der deutsch-deutschen Grenze. Dass sich Niedersachsen 1993 über die Elbe hinaus ausdehnen konnte, hat es dem Willen der knapp 5700 Bewohner des Amtes Neuhaus zu verdanken, das vor dem Zweiten Weltkrieg zur Provinz Hannover gehörte. Sie erreichten, dass Mecklenburg-Vorpommern diesen Bezirk an den Landkreis Lüneburg abtrat. Alte Obstbaumalleen prägen hier die Kulturlandschaft mit. Über dreißig anderswo längst vergessene Apfelsorten wie der „Gelbe Richard" und der „Brasilienapfel" hängen an den Bäumen. Auch die Nutztierwelt hat ein Revival zu vermelden: In der Sudeniederung um Dellien weiden wieder Auerochsen, die für die Rinderwelt sind, was die Schnucke für die Schafswelt ist: Lieferant von besonders fettarmem Fleisch mit wildähnlichem Geschmack.

RUNDE DÖRFER

Bis zur Wiedervereinigung schob sich der Landkreis Lüchow-Dannenberg mit dem Wendland als bundesdeutscher Zipfel zwischen Altmark und Prignitz

In der Abendsonne: Lüchows Lange Straße mit ihrem
Fachwerk.

Die „Leinenhändlerin" am Lüchower Marktplatz
erinnert an einstiges Gewerbe.

Gespiegelte St.-Georg-Kirche im Luftkurort
Gartow

weit ins „andere Deutschland". Sein Markenzeichen sind die über vierzig Rundlingsdörfer, die wahrscheinlich im Rahmen der deutschen Ostkolonisation in der Mitte des 12. Jahrhunderts von Slawen angelegt wurden. Niederdeutsche Hallenhäuser gruppieren sich mit der Stirnseite um einen kreis- bis tropfenförmigen Platz, die dazugehörigen Grundstücke liegen strahlenförmig

> *Oft träumt im Mittelpunkt des Dorfplatzes eine Milchbank unter hohen Bäumen vor sich hin.*

an der Hofrückseite. Die Dorfkirchen stehen fast immer außerhalb des Rundlings am Dorfrand – Indiz dafür, dass sie erst im Zuge einer späteren Christianisierung der Slawen erbaut wurden. Oft träumt im Mittelpunkt des Dorfplatzes eine Milchbank unter hohen Bäumen vor sich hin. Nur wenige Rundlinge werden – wie Lübeln mit seinem Freilichtmuseum – touristisch herausgestellt. Die meisten sind noch bäuerlich geprägt, allen voran die in der Gemeinde Lemgow, die selbst bei Wendländern in Vergessenheit geriet.

TRAUUNG IN DER BRONZEZEIT
Am Strand oder in Windmühlen, auf Schiffen und in den Körben von Heißluftballons kann man sich inzwischen mancherorts auf der Welt trauen lassen. Im Archäologischen Zentrum von Hitzacker wird das Ja-Wort zum Start einer Reise zurück in die Bronzezeit. 1969 wurden bei Erdarbeiten am Jeetzelufer erstmals 3000 Jahre alte Keramikscherben und Bodenverfärbungen entdeckt, die von ebenso alten Pfostensetzungen stammten. Archäologen konstruierten daraus den Grundriss eines bronzezeitlichen Langhauses. 1987 wurden endlich sechzehn Hektar Fläche um den Fundort unter Grabungsschutz gestellt. Die Forscher konnten zwei wei-

Tschingderassabum: Schützenfeste gehören
zum Landleben.

Schäfer und Ziegenhirt in einem: Werner Meinecke
in der Nemitzer Heide

Die Anlage der Rundlinge ist am besten aus der Luft
erkennbar – wie hier in Lübeln.

Farbenfrohe Ereignisse: Töpfermarkt im Rundlingsdorf Satemin …

… und „Mützingenta" in Mützingen, Pfingst-
treff der Alternativkultur

Die Biber kehren zurück

**Mit der deutschen Wiedervereini-
gung kehrten 1990 die Biber in die
Niedersächsische Elbtalaue zurück.
Die steht als Biosphärenreservat
unter dem besonderen Schutz der
Unesco.**
Bereits seit 1819 galten die Nagetiere
hier als ausgestorben, jetzt leben wieder über 500 in der Elbe zwischen
Schnackenburg und Lauenburg, in
ihren Altarmen und Nebenflüssen.
Wohlhabende schätzten einst Müt-
zen aus dichtem Biberpelz, Mönchen
war der schuppige Schwanz des Tie-
res gottgefälliger Fleischersatz während der Fastenzeit. Vor allem aber
jagten Fischer den Biber, den sie als
Konkurrenten sahen. Dabei ist der
bis zu 30 Kilo schwere und bis zu
1,30 Meter lange Nager ein reiner
Pflanzenfresser. Er lässt sich Obst,
Kräuter, Wurzeln, Blätter, Zweige
und Rinde schmecken – und fällt
auch deshalb mit seinen scharfen
Zähnen Büsche und Bäume bis zu
einem halben Meter Stammdurch-
messer. Zweige braucht er außerdem

Pflanzenfresser und Burgenbauer: der Biber

zum Bau seiner Burgen. Darin leben
meist drei Generationen: das mono-
game Elternpaar und jeweils die letzten beiden Würfe. Das „Burgtor"
liegt grundsätzlich unter Wasser.
   Seit 2011 gewährt das neue Biosphaerium in Bleckede erstmals Einblick in die Wohnwelt der meist
sechs- bis siebenköpfigen Familien
und ihr Verhalten im fast tausend
Quadratmeter großen Freigehege.

tere Langhäuser nachweisen, fanden
Zeugnisse für menschliches Leben
schon vor 4000 Jahren. Dann entstand
die Idee, die Häuser im Rahmen experi-
menteller Archäologie mit den zur damaligen Zeit zur Verfügung stehenden
Werkstoffen und Werkzeugen wieder
aufzubauen. Daraus wurde eines der in-
teressanten Mitmachmuseen Deutschlands. Hier Hochzeit zu feiern ist dabei
nur eine extreme Form des Mitma-
chens. Wer sich nicht gleich für ewig
binden will, nimmt an den zahlreichen
Aktionen des Zentrums teil. Da lernt
man, ein Feuer mit Feuersteinen zu ent-
fachen, Lehm- oder Flechtwände zu
bauen, Gefäße ohne Töpferscheibe zu
töpfern oder mit Langbögen zu schießen. Wer mag, kann sich aus Leder eine
Tasche nähen oder mit dem Einbaum
über den Hitzacker-See schippern. Sogar Übernachtungen im Museum werden angeboten. Eine Honeymoon-Suite
freilich fehlt.

WENDLAND

Gorlebens andere Strahlkraft

Castortransporte, Demonstrationen und Polizeiaktionen bringen das kleine Dorf Gorleben alljährlich neu in die Schlagzeilen. Gorleben hat in der Region aber auch viele kreative Geister geweckt.

Straßenblockaden am Zwischenlager in Gorleben sollen Castortransporte aufhalten.

Ein kleiner Bootshafen, ein Hotel, eine Pension mit Kaminrestaurant, Biergarten und Fahrradverleih, eine Bäckerei mit Café, eine hübsche Fachwerkkirche und ein Elbfischer, der auch Aale und Forellen räuchert. Nichts an Gorleben wäre auffällig, stünden da nicht einen Kilometer außerhalb, im Wald versteckt, hohe, von Kameras überwachte Zäune, riesige Lagerhallen und ein Bergwerk, aus dem man nichts herausholen, sondern in das man etwas hineinbringen will: hoch radioaktiven Atommüll, der noch in einer Million Jahren eine tödliche Strahlkraft haben wird. Allein in Deutschland werden davon jährlich etwa 450 Tonnen produziert, ohne dass jemand wüsste, wohin damit. Erst einmal wird er nach Gorleben gebracht.

GELBE KREUZE

Seinetwegen sind gelbe Andreaskreuze zum Wahrzeichen des Wendlands geworden. Sie stehen im ganzen Landkreis Lüchow-Dannenberg und drücken den Protest aus gegen Castortransporte, das überirdische atomare Zwischenlager und die weitere Prüfung der unterirdischen Salzstöcke auf ihre Eignung als Endlager. Die Anti-Atom-Bewegung im Wendland hat alle Bevölkerungsschichten erfasst, ist nicht von Parteiaffinitäten abhängig. Studenten und Bauern gehören ihr ebenso an wie die gräfliche Familie derer von Bernstorff, die in Gartow residiert und der weite Landstriche in der Region gehören, samt unterirdischer Salzstöcke.

Rund 50 000 Demonstranten protestierten zuletzt gegen die Castorbehälter mit hoch radioaktivem deutschem Atommüll, die per Bahn aus der französischen Wiederaufbereitungsanlage La Hague nach Dannenberg und von dort auf Tiefladern nach Gorleben gebracht werden.

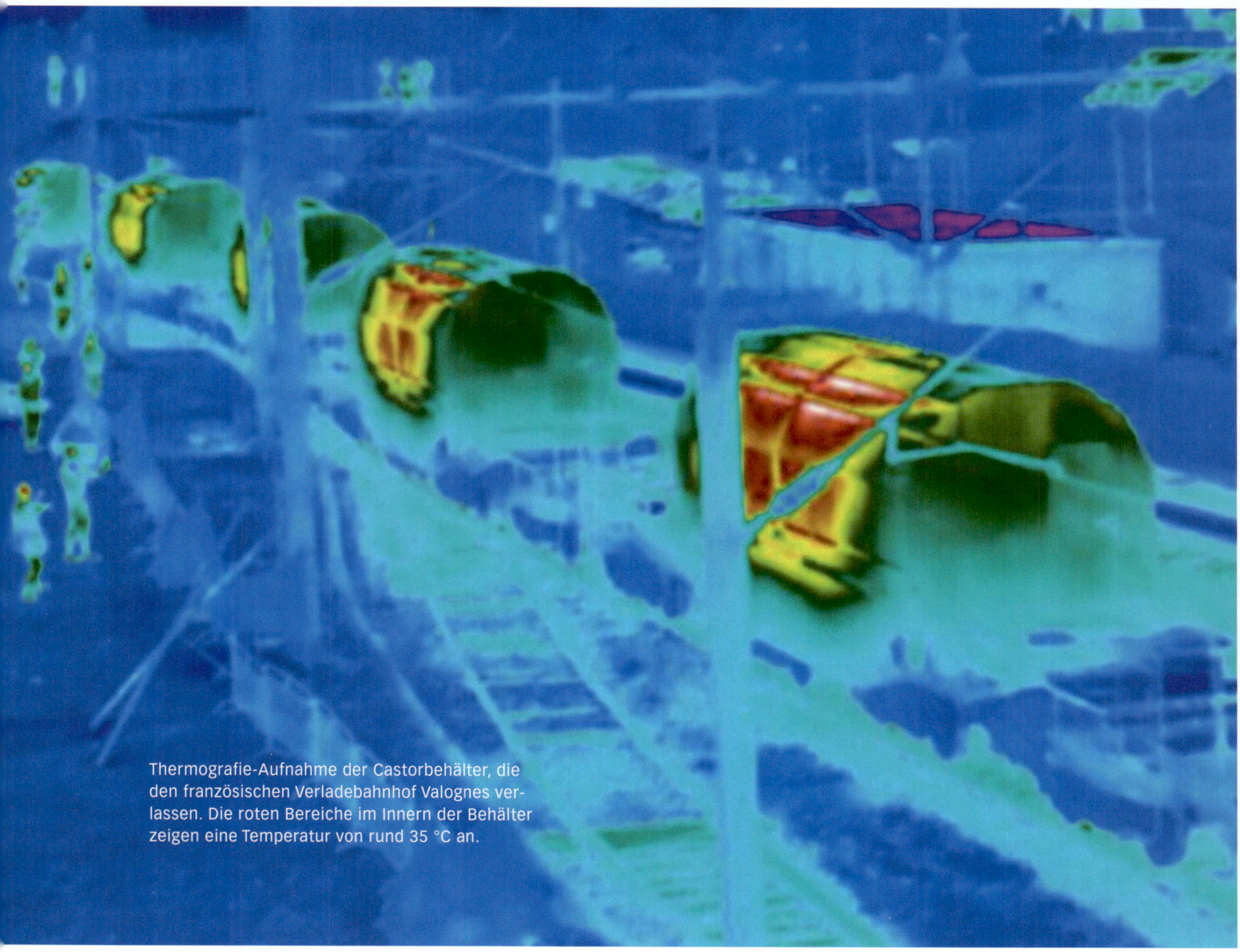

Thermografie-Aufnahme der Castorbehälter, die den französischen Verladebahnhof Valognes verlassen. Die roten Bereiche im Innern der Behälter zeigen eine Temperatur von rund 35 °C an.

Gelbe Andreaskreuze in Vorgärten, an Geschäften und Bauernhöfen, auf Straßen und Radwegen sind Sinnbild des Protests. Die Handwebmeisterin Inge Seelig war eine der ersten Vertreterinnen der Alternativkultur, für die das Wendland heute bekannt ist.

ZEIGEN, DASS ES ANDERS GEHT

Als der niedersächsische Ministerpräsident Ernst Albrecht 1977 verkündete, Gorleben solle Standort eines Endlagers werden, regte sich sofort heftiger Protest, der bis heute anhält. Die Demonstranten halten – wie viele Fachleute auch – die Salzstöcke wegen möglichen Grundwasserkontakts und fehlenden Deckgebirges als Endlager für völlig ungeeignet. Einige Geologen widersprechen jedoch: Die Müllbehälter würden in Salznischen deponiert, deren Öffnung mit Salz verschlossen. Salz fließe und verfestige sich, nach zehn Jahren seien die Behälter „wie eine Mücke im Bernstein" eingeschlossen.

So mancher Demonstrant von einst ist im Wendland geblieben. Gorleben zog Aussteiger und Menschen auf der Suche nach alternativen Lebens- und Wirtschaftsformen an.

ALTERNATIVKULTUR IM WENDLAND

Werkhof Kukate
Umfangreiches Kursprogramm mit Weben, Filzen, Töpfern, Goldschmieden u. v. m.; Gästezimmer mit Selbstversorgung. Kukate Nr. 2, 29496 Waddeweitz, Tel. 0 58 49 / 4 68, Fax 12 02, **www.werkhof-kukate.de**

Kulturelle Landpartie
Rund 600 Künstler und Handwerker im Wendland zeigen zwischen Himmelfahrt und Pfingsten ihre Arbeiten. Info: Drawehner Str. 2, 29439 Lüchow, Tel. 0 58 41 / 97 69 40, **www.kulturelle-landpartie.de**

Atomkraftgegner setzten auf ökologischen Landbau, das Wendland wurde zur Modellregion für erneuerbare Energien. Künstler und Kunsthandwerker kamen. Die gelernte Handwebmeisterin Inge Seelig und ihr Mann Michael gehörten 1975 zu den ersten, die aus der Nähe Hamburgs ins Wendland zogen und eine damals 135 Jahre alte Hofanlage in einen überregionalen Treffpunkt für Kunsthandwerker aller Art verwandelten, den „Werkhof Kukate". Von 1985 an wurde hier ein – inzwischen ins Rundlingsdorf Satemin übersiedelter – Pfingstmarkt veranstaltet, auf dem Künstler aus ganz Europa ihre Schöpfungen vorstellten. 1989 gehörten die Seeligs zu den Initiatoren der ersten „Kulturellen Landpartie", die mittlerweile alljährlich über 50 000 Besucher zum größten alternativen Event Deutschlands in den Landkreis bringt.

Anfangs lockten Protestbewegung, alternative Gemeinschaft und preiswerte Immobilien vor allem Kreative an. „Heute", sagt Michael Seelig, „ist die Kulturelle Landpartie der beste Immobilienverkäufer im Wendland und ein wirtschaftliches Fundament für die ganze Region." Die soll nach dem Willen vieler ihrer Bewohner sogar zur Modellregion für ganz Europa werden: zu 100 Prozent regenerative Energieversorgung, zu 100 Prozent artgerechte Tierhaltung und wenigstens 50 Prozent ökologische Landwirtschaft sind das Ziel. Und natürlich ein Stopp der Castortransporte …

Gorleben und Konrad – so sicher wie die
einstürzenden und absaufenden Endlager
Asse und Morsleben
ürgerinitiative Umweltsch

ATOMKRAFT.?
DANKE

informationsnetzwerk gegen atomenergie
WWW.CONTRATOM.DE

Die Probleme im ebenfalls niedersächsischen
Bergwerk Asse geben den Castordemonstranten
in Gorleben Argumentationshilfe.

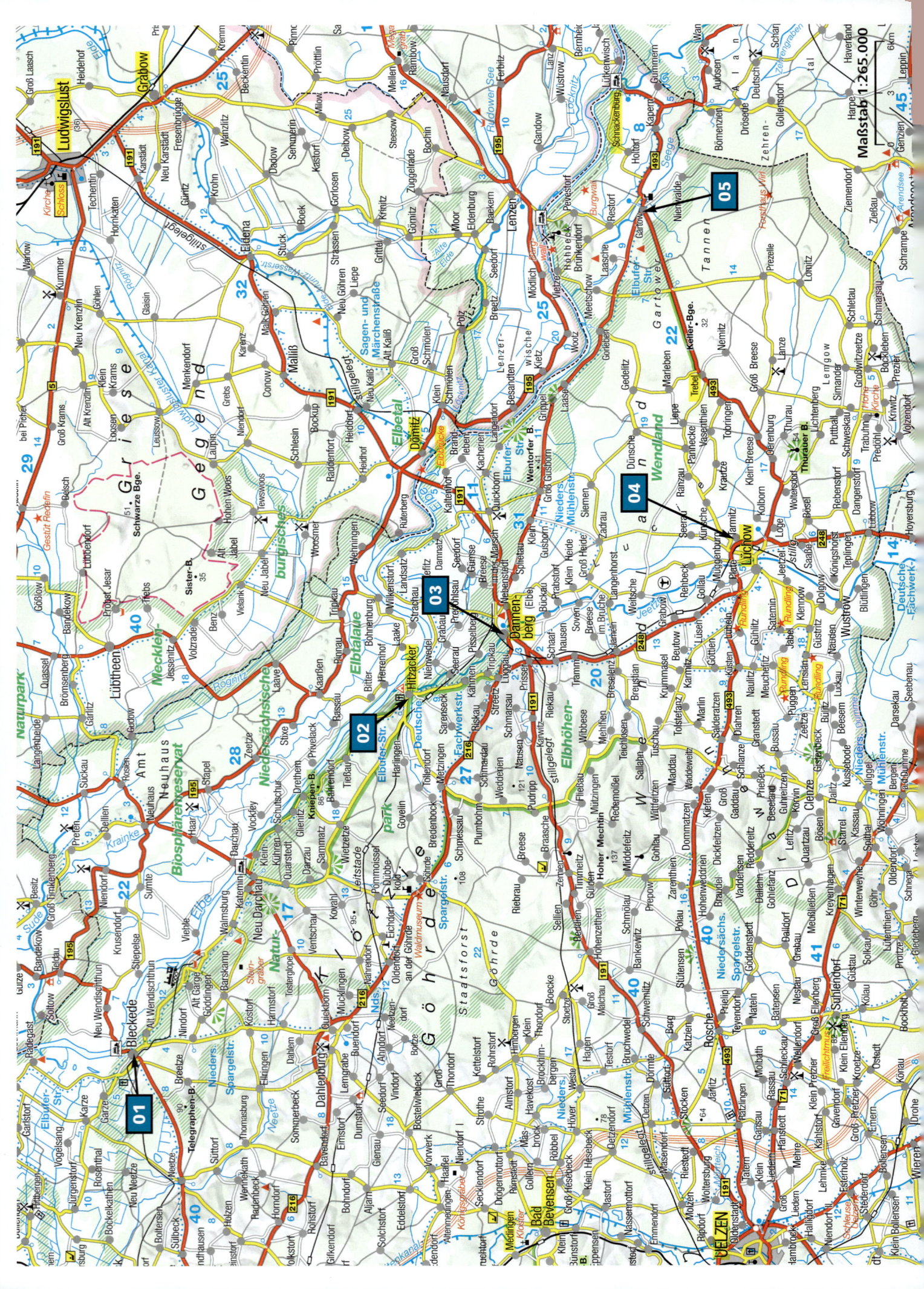

Infos

In vielgestaltiger Landschaft

Zwischen Schnackenburg und Artlenburg säumt die Elbe als naturnahester deutscher Strom die Ferienregion Lüneburger Heide. Steilufer stoßen auf Auenlandschaften, die dichten Wälder der Göhrde stehen im Kontrast zu den weiten Feldern und Äckern des Wendlands mit seinen Rundlingsdörfern.

Von unwirklicher Schönheit: das Elbtal bei Hochwasser

01 BLECKEDE

Das jüngst 800 Jahre alt gewordene Bleckede (8500 Einw.) ist ein guter Startpunkt für Wander- und Radtouren im nördl. Teil des Biosphärenreservats Elbtalaue. Seit jeher überquert hier eine Fähre den Fluss. Von der ehem. Burg aus dem späten 13. Jh. steht nur noch der **Rundturm** (um 1500) auf dem Gelände des **Schlosses** (ab 1600). Nach 91 Stufen schaut man vom Turm weit über die Elbtalaue (Di.–So. 9.00–18.00 Uhr). Das im Frühjahr 2011 neu eröffnete **Biosphaerium Elbtalaue/Schloss Bleckede** (Schlossstr. 10, Tel. 0 58 52 / 95 14 14, www.biosphaerium. de; April–Okt. Di.–So. 10.00–18.00, sonst Mi. bis So. 10.00–17.00 Uhr) möchte die Besonderheiten des Biosphärenreservats vermitteln.

Veranstaltungen
Beim **Elbschloss-Festival** im Schlosshof, der Innenstadt und der St.-Jacobi-Kirche von 1766 präsentieren sich junge Musiker aus der Region (Ende Juni/Anf. Juli; Tel. 0 58 52 / 9 51 40, www.elbschloss-festival.de).

Umgebung
Bleckede liegt an der **Deutschen Storchenstraße** (www.deutsche-storchenstrasse.de; Karte kostenlos u.a. im Biosphaerium Elbtalaue). Viele Storchennester sind wenige Kilometer elbabwärts zwischen Radegast und Hittbergen zu sehen.

Information
Verkehrsverein Elbtalaue, Boizenburger Str. 3, 21354 Bleckede, Tel. 0 58 52 / 95 84 58, Fax 95 84 92, www.elbtalaue-touristik.de

02 HITZACKER

Die Altstadt von Hitzacker (5000 Einw.) liegt auf einer Insel im Mündungsgebiet des Flüsschens Jeetzel in die Elbe. Fachwerkhäuser dominieren das Ortsbild (Stadtrecht 1258) zu Füßen eines der nördlichsten Weinberge Deutschlands.

Sehenswert
Zu den schönsten Fachwerkhäusern gehört die **Drawehnertor-Schenke** an der Jeetzel-Brücke (1635; seit 1705 Gasthaus). Das ehem. **Amtshaus** (1718) beherbergt heute die Stadtverwaltung. Davor steht eine Büste des Claus von Amsberg (1926–2002); der Gemahl der niederländischen Königin Beatrix wurde auf dem nahen Gut Dötzingen geboren. 1983 fand am **Weinberg** erstmals seit 1713 wieder eine Weinlese statt; jeden Okt. wird eine Weinkönigin gekürt.

Museen
Mitten in der Altstadt dient das **Alte Zollhaus** (1589; Zollstr. 2, Tel. 0 58 62 / 88 38, www.museum-hitzacker.de; Di.–So. 10.00–17.00 Uhr) heute als Regionalmuseum. Das **Archäologische Zentrum Hitzacker ▶ TOPZIEL** (Elbuferstr. 2–4, Tel. 0 58 62 / 67 94, www.archaeo-zentrum.de; Mai–Sept. Di.–So. 10.00–18.00, April, Okt. Di.–Fr. 10.00–16.00, Sa./So. bis 18.00 Uhr) illustriert mit drei rekonstruierten Langhäusern und vielen anderen Objekten das Leben am Hitzacker See vor 3000 Jahren.

Aktivitäten
Kanus für 2–10 Personen verleiht „Hiddo Kanu" (Tel. 01 75 / 4 15 61 76, www.hiddo-kanu-elbe.de); auch geführte Touren sind zu buchen. Der **Klötziestieg** führt auf 26,5 km Länge von Hitzacker über die Elbhöhen bis Drethem und über Wietzetze und Harlingen zurück; besonders reizvoll zur Blütezeit der orangen Feldlilien (Juni/Juli).

Veranstaltungen
Bei der **Musikwoche Hitzacker** stehen Konzerte von Klassik bis Jazz in der Johanniskirche und anderswo auf dem Programm (Ende Febr.; Tel. 0 58 62 / 81 97). Neuen Konzertideen möchten die **Sommerlichen Musiktage** Impulse geben (letztes Juli- bis 1. Aug.-Wochenende, www.musiktage-hitzacker.de). Einen **Tag in der Bronzezeit** lässt das Archäologische Zentrum erleben (Sommer Sa. 15.00–17.30 Uhr).

Umgebung
Westl. von Hitzacker erstreckt sich der 62 km² große **Staatsforst Göhrde** als größter Mischwald Norddeutschlands. Hier ließ sich Kurfürst Georg von Hannover, der 1714 König von England wurde, ein Jagdschloss errichten – es blieben nur einige Nebengebäude; der ehem. Marstall beherbergt das Naturum Göhrde mit kleinem Greifvogelgehege (König-Georg-Allee 5 in Göhrde, Tel. 0 58 55 / 6 75, www.waldmuseum-göhrde.de; April–Okt. Mi.–Fr. 14.00–18.00, Sa./So. 10.00–18.00 Uhr). Nordwestl. von Hitzacker steigt das Elbufer am **Kniepenberg** bis auf 86 m Höhe an, die Elbuferstraße weist hier Steigungen bis zu 13 % auf. Vom Aussichtsturm auf dem Kniepenberg blickt man über die Elbtalaue bis weit nach Mecklenburg hinein.

Information
Touristik-Information, Am Markt 7, 29456 Hitzacker, Tel. 0 58 62 / 9 69 70, Fax 96 97 24, www.luechow-dannenberg.de

03 DANNENBERG

Das Fachwerkstädtchen (8400 Einw.) in einer Jeetzelschleife bezaubert durch ruhige Ländlichkeit. Durch seine zentrale Lage ist der Verwaltungssitz der Gemeinde Elbtalaue ein guter Ausgangspunkt für Radtouren in die gesamte Region. Ausgrabungen dokumentierten eine Siedlung bereits im 9. Jh. (Stadtrecht 13. Jh.).

Tipp

Schiffstour auf der Elbe

Zwischen Mai und Anf. Okt. legt an jedem 2. Do. die „Hilde" in Hitzacker zur 8-Std.-Fahrt elbabwärts nach Hamburg ab. Zurück geht es abends per Bus, Fr. ist die Reise in umgekehrter Richtung möglich. Zwischen Juni und Anf. Okt. fährt 5-mal die „Lüneburger Heide" in 4,5 Std. von Bleckede nach Hitzacker und zurück.

siehe Tourist-Information Hitzacker; Personenschifffahrt Wilke, Buchenweg 14, 21380 Artlenburg, Tel. 0 41 39 / 62 85, www.personenschifffahrt-wilcke.de

Infos

Marionettentheater

Gleich neben dem Dannenberger Waldemarturm erwachen im ehemaligen Feuerwehrhaus Marionetten zum Leben. Bis zu 55 Zuschauer können an etwa 50 Tagen im Jahr eines der neun Stücke aus dem Repertoire des Hauses genießen – von Märcheninszenierungen wie „Hänsel und Gretel" bis zum altdeutschen Faust-Spiel.

Marionettentheater, Am Waldemarturm, 29451 Dannenberg, Tel. 0 56 65 / 4 83, www.marionettentheater.de

Die fachwerkgesäumte Lange Straße mündet in den Marktplatz, wo Dannenberg am schönsten ist. Am Rathaus von 1780 verkündet eine ewig aktuelle Inschrift: „Wi Börgers hebbn de Last dorvon un mütt datt all betahlen." Ab Mitte des 13. Jh. entstand die Johanniskirche.

Museum
Im **Waldemarturm** (33 m), Rest einer mittelalterlichen Burg (um 1200), dokumentiert eine Ausstellung die katastrophalen Überschwemmungen von 2002 und 2006 (www.waldemar turm.de; April–Okt. Di.–So. 10.00–12.00, 14.00 bis 17.00 Uhr). Der Ortsteil Neu-Tramm (südl.) besitzt ein **Feuerwehrmuseum** (Am Breselenzer Weg 16; Mitte April–Okt. Mi.–Fr. 14.00–17.00, Sa./So. ab 10.00 Uhr) zur Entwicklung der Brandbekämpfung.

Aktivitäten
Golfer zieht es auf den 18-Loch-**Golfplatz** des Golfclubs an der Göhrde bei Braasche/Zernien (18 km westl.; Braasche 2, Tel. 05 86 63 / 5 56, www.golfclubgoehrde.de).

Einkaufen
Im kleinen **Kaufhaus des Wendlands,** scherzhaft KDW genannt, bieten etwa zwei Dutzend Kunsthandwerker und kleine Manufakturen ihre Produkte an (Am Markt 8, Tel. 0 58 61 / 98 90 66, www.kaufhausdeswendlands.de).

Umgebung
Am Rand des ehem. Rundlings **Breese im Bruche** (9 km südl.) sind in der Backsteinkapelle des einstigen Gutshofs Deckenmalereien (um 1595) erhalten (Voranm. bei Jutta Hinkelmann, Tel. 0 59 64 / 12 19; April–Okt.). Die denkmalgeschützte Festung (16. Jh.) im Elbhafenort **Dömitz** (16 km nordöstl.) hat eine Burg des 13. Jh. zum Ursprung und ist heute Museum (www. festung-doemitz.de; Mai–Sept. Di.–Fr. 9.00 bis 17.00, Sa./So. 10.00–18.00, sonst Di.–So. 12.00 bis 16.00 Uhr).

Information
Gästeinformation im Alten Rathaus, Am Markt, 29451 Dannenberg, Tel. 0 58 61 / 80 85 45, Fax 98 66 85, www.luechow-dannenberg.de

04 LÜCHOW

Die 850-jährige Kreisstadt (9600 Einw., Stadtrecht 1293) mit viel Fachwerk ist der geschäftigste Einkaufsort im Wendland. Besonders viele **Fachwerkhäuser,** weitgehend nach dem verheerenden Stadtbrand 1811 entstanden, stehen an der „Shopping-Meile" Lange Straße. An ihr liegt auch der Marktplatz mit der modernen Bronzeskulptur **Leinenhändlerin,** die an einstiges Gewerbe erinnert.

Museen
Was ein Rundlingsdorf kennzeichnet und wie man dort früher lebte, zeigt das **Rundlingsmuseum ▶TOPZIEL** Wendlandhof Lübeln mit vielen originalgetreu wieder aufgebauten historischen Gebäuden (5 km westl.; Lübeln 2, 29482 Küsten, Tel. 0 58 41 / 9 62 90, www.rundlings museum.de; April–Okt. tgl. 10.00–18.00 Uhr).

Veranstaltungen
Auf dem **Pfingstmarkt** im Rundlingsdorf Satemin (Tel. 0 58 41 / 70 92 30, www.pfingstmarktsatemin.de; Pfingst-Sa. 12.00–Mo. 18.00 Uhr) zeigen rund 60 von einer Fachjury ausgewählte Kunsthandwerker aus ganz Europa ihre Arbeiten. Während der **Kulturellen Landpartie** (s. S. 106) präsentieren über 500 Künstler und Kunsthandwerker an fast 80 Orten des Landkreises ihre Werke, begleitet von kulinarischen Angeboten und kulturellen Veranstaltungen.

Umgebung
Lüchow ist guter Ausgangsort für den Besuch der **Rundlingsdörfer** (s. auch rechts: DuMont Aktiv). Wer mit dem Auto unterwegs ist, kann die Tour auf die **Clenzer Schweiz** mit dem Findlingspark Clenze ausdehnen. Dort sind 84 Findlinge als 270 m lange „Geologische Spirale" angeordnet. Einen ganzen Tag können Kirchenliebhaber mit einer Rad- oder Autorundfahrt zu den 12 historischen Feldsteinkirchen in den häufig als Rundling angelegten Dörfern der Gemeinde **Lemgow** (südöstl.) verbringen. Ihr zentrales Gotteshaus ist die auf freiem Feld erbaute Hohe Kirche zwischen Schweskau und Volzendorf. Turm und Chor stammen aus dem 13./14. Jh., der Mittelteil wurde 1770 im barocken Stil erneuert. In **Volzendorf** birgt die St.Petri-Kapelle (14. Jh.) mittelalterliche Wandmalereien. Weitere mittelalterliche Kapellen stehen in Schmarsau, Prezier, Schweskau und Bockleben (Rundfahrt ab Lüchow ca. 55 km).

Information
Tourismusverein Wendland, Theodor-Körner-Str. 14, 29439 Lüchow, Tel. 0 58 41 / 12 60, Fax 12 62 79, www.luechow-dannenberg.de

Alltag in der Bronzezeit: Einbaumfahrt in Hitzacker

05 GARTOW

Das seit 1226 nachweisbare Straßendorf ist dank seinem 67 ha großen See zum familienfreundlichen Urlaubsort geworden, weist aber nur wenig historische Bausubstanz auf. Am östl. Ortsende steht nahe dem Ufer der Seege das private barocke **Herrenhaus** der Familie von Bernstorff (1727). Zugänglich ist die dazugehörige **St.-Georg-Kirche** (1724) mit ihrer aufwendig mit Gold verzierten Orgel (1740).

Aktivitäten

Kanus und geführte Kanutouren bietet die Kanustation Gartower See (Tel. 0 58 46 / 98 03 66, www.kanustation-gartow.de, ganzjährig) mit mobiler Sauna direkt am Flussufer.

Veranstaltungen

In der St.-Georg-Kirche Konzerte des **Orgel-Sommers** (Juli–Mitte Aug. Mi. 18.00 Uhr; www. elbe-kirchen.de), in Schnackenburg bei **Schubertiaden** in der St.-Nikolai-Kirche Klassik und Jazz (Mitte Aug.; Tel. 0 58 40 / 12 34, www.schubertiadenschnackenburg.de; freier Eintritt).

Umgebung

Im einstigen Binnenschifferort **Schnackenburg** (8 km östl.) erklärt das Grenzlandmuseum in einem alten Fischerhaus an der Elbe anschaulich den Alltag der NVA-Grenzsoldaten und des Bundesgrenzschutzes in den Jahrzehnten der deutschen Teilung (Am Markt, Tel. 0 58 40 / 2 25, www.museum-schnackenburg.de; März/April Mo.–Fr. 10.00–16.00, Sa./So. ab 13.00, Mai–Okt. So.–Fr. 10.00–17.00, Sa. ab 13.00, sonst Di.–Fr. 10.00–16.00, Sa./So. ab 13.00 Uhr). Vom Museum betreut wird auch ein 10 km langer **Grenzlehrpfad** zwischen Schnackenburg und Gartow mit Minengürtel, Wachtturm und einstiger Grenzübergangsstelle Kapern/Bömenzien. Als schönste Heidefläche im Wendland gilt die erst nach einem Waldbrand 1975 neu angelegte, 400 ha große **Nemitzer Heide** (10 km südwestl.); ein 10 km langer Wanderweg beginnt an der Gaststätte „Heide-Haus" (Nemitzer Heide 1, 29494 Trebel). Ein hölzerner Aussichtsturm steht auf der bewaldeten, 75 m hohen Stauchmoräne des **Höhbeck** (7 km nördl.) nahe einem „Schwedenschanze" genannten karolingischen Burgwall (um 810). In **Gorleben** (10 km westl.) informiert eine kleine Ausstellung des Bundesamts für Strahlenschutz aus seiner Sicht über die Castortransporte, Zwischen- und Endlagerung radioaktiver Abfälle (Lüchower Str. 8, Tel. 0 58 82 / 1 01 46, www.gns.de).

Information

Tourist-Information, Nienwalder Weg 1, 29471 Gartow, Tel. 0 58 46 / 3 33, Fax 22 88, www.gartow.de

Radtour durchs Wendland

Eine etwa 45 km lange Rundfahrt über durchgehend asphaltierte, nahezu autofreie Sträßlein und Wege führt Sie familienfreundlich zu typischen Rundlingsdörfern. Sie radeln durch Felder und Wälder, erleben hautnah die ursprüngliche Ländlichkeit der Region.

Auf einem Radweg geht es vom Lüchower Rathaus an der B 248 Richtung Westen. Nach 2,1 km biegt ein Asphaltsträßlein links ab. Im Rundling Reetze sehen Sie einen ersten typischen Dorfplatz mit Milchbank. In Satemin, wo alle Fachwerkhöfe nach einem Brand 1850 im selben Stil neu errichtet wurden, warten eine Töpferei und zwei Cafés. Über Jabel mit zwei ungewöhnlich farbig gestrichenen Höfen geht es weiter nach Meuchefitz mit besonders schöner Kirche und einem Gasthof, der Anti-Atom-Aktivisten ein geschätzter Treffpunkt ist.

In Puggen zeugen drei Biogasanlagen am Dorfeingang vom öko-

Per Zweirad mit Muskelantrieb ...

logischen Engagement der hiesigen Bauern. Diahren ist eines der schönsten Rundlingsdörfer. Über Bischof erreichen Sie Waddeweitz, den Wendepunkt der Tour. Kurz darauf lohnt der Werkhof Kukate mit seinen Kunstausstellungen einen Blick, bevor Sie in Karmitz eine Solarstrom-Mosterei mit eigener Streuobstweise besuchen. Ganz in der Nähe bietet der Angelteich an der Beutower Mühle entspannte Idylle. Storchennest und Imkerei sind die Attraktionen von Beutow. In Belitz und Göttien können Sie sich in Gasthäusern stärken. Den Schlussakkord setzt das Museumsdorf Lübeln.

... erschließt sich die Heide genüsslich.

WEITERE INFORMATIONEN

Ausschilderung: Die Strecke ist perfekt ausgeschildert. Folgen Sie einfach der „Tour 13".
Picknick: Zwischen Satemin und Göttien gibt es auf ca. 30 km keine Einkehrmöglichkeit. Nehmen Sie ausreichend Verpflegung mit.

Fahrradverleih: Triebe-Zweiräder, Tarmitzer Str. 51, 29439 Lüchow, Tel. 0 58 41 / 43 84
Angelteich Beutower Mühle: tgl. 5.00–17.00 Uhr, Tel. 01 71 / 175 85 50. Forellen und Aale.

Service

ANREISE

Auto: Die Ferienregion Lüneburger Heide liegt etwa zwischen den Autobahnen A 1 Bremen–Hamburg, A 2 Hannover–Berlin und A 27 Bremen–Walsrode. Außerdem wird sie von der A 7 Hannover–Walsrode–Hamburg durchschnitten. Vom Autobahnkreuz Maschen südl. Hamburg führt eine Stichautobahn bis Lüneburg. Fernab jeder Autobahn liegt insbesondere das Wendland. Siehe auch Elbbrücken/-fähren.

Zug: Der einzige vollwertige ICE-Bahnhof in der Region ist Wolfsburg. Auf der Strecke zwischen Hamburg und Hannover halten ICE-Züge in Lüneburg, Uelzen und Celle nur zu Tagesrandzeiten. Ansonsten wird die Strecke per IC befahren. Regionalzüge verbinden Bremen mit Soltau, Munster und Uelzen sowie Uelzen mit Dannenberg im Wendland und Uelzen mit Berlin. Fahrplanauskünfte auf www.bahn.de.

Bus: Berliner können per Bus in einige Heideorte reisen. Zielorte sind Bad Bevensen, Celle, Gifhorn, Lüneburg, Soltau, Uelzen, Winsen/Luhe und Wolfsburg. Fahrplanauskünfte auf www.berlinlinienbus.de.

Flugzeug: Die nächstgelegenen Verkehrsflughäfen sind Hamburg, Hannover und Bremen.

Elbbrücken/-fähren: In der ganzen Lüneburger Heide gibt es nur bei Dömitz eine Elbbrücke. Flussaufwärts folgt die nächste Brücke bei Wittenberge, flussabwärts bei Lauenburg bzw. Geesthacht. Daher verbinden an mehreren Stellen Fähren die beiden Elbufer. Verbindungen gibt es zwischen Schnackenburg und Lütkenwisch (ganzj., auch Lkw, Tel. 03877 / 564362), Pevestorf und Lenzen (ganzj., auch Lkw, Tel. 03 87 92 / 76 65), Hitzacker und Bitter (April bis Mitte Okt., keine Pkw/Lkw, Tel. 01 60 / 5 96 96 68), Neu-Darchau und Darchau (ganzj., auch Lkw, Tel. 0 58 53 / 13 56) sowie Bleckede und Neu-Bleckede (ganzj., auch kleine Lkw und kleine Wohnmobile, Tel. 0 58 52 / 22 55). Im Winter und bei extremem Hochwasser wird der Fährbetrieb zeitweise eingestellt – im Zweifelsfall anrufen!

AUSKUNFT

Es gibt keine zentrale Auskunftsstelle für die gesamte Ferienregion. Wer sich umfassend informieren möchte, sollte mindestens diese vier Auskunftsbüros kontaktieren:

Lüneburger Heide GmbH, Wallstr. 4, 21135 Lüneburg, Tel. 04131 / 309960, Fax 3098 10, www.lueneburger-heide.de;

Erlebniswelt Lüneburger Heide GmbH, Am Alten Stadtgraben 3, 29614 Soltau, Tel. 05191 / 828289, Fax 828299, www.erlebniswelt-heide.de;

Tourismus Region Celle, Markt 14–16, 29221 Celle, Tel. 05141 / 1212, Fax 12459, www.region-celle.de

Tourismus Service-Center Lübeln, Lübeln 2, 29482 Küsten, Tel. 05841 / 96290, Fax 962929, www.luechow-dannenberg.de

ESSEN UND TRINKEN

Fleisch und Wurst von der **Heidschnucke** sind die exklusive Spezialität der Heide, vielfältig auch die **Wildgerichte.** Wie in weiten Teilen Norddeutschlands bieten viele Restaurants im Winter **Grünkohl** mit Kassler und Bregenwurst, in der Nordheide auch mit Schweinebacke an. **Kartoffeln** und **Spargel** werden in der Heide angebaut. **Steinpilze** wachsen vor allem in der Göhrde. Die Elbe und zahlreiche Fischteichbetriebe sorgen für stets frischen **Süßwasserfisch;** mehrere Räuchereien verarbeiten auch importierte Aale und Seefische.

Eine süße Spezialität der Heide sind neben **Heidehonig** Kuchen, Torten und Pfannkuchen aus Buchweizenmehl. **Buchweizen** – kein Getreide, sondern ein Knöterichgewächs – war früher eine wesentliche Ernährungsgrundlage der Heidebewohner, heute wird er verstärkt wieder angebaut. Als heidetypisch dürfen auch **Butter- und Streuselkuchen** gelten, die bei

Pferdekutschen im öffentlichen Nahverkehr

sommerlichen Mühlen- und Backfesten häufig ofenwarm genossen werden. Eine gesunde Spezialität ist die **Holunderbeersuppe.**

Groß ist die Auswahl an **Säften.** In ganz Deutschland vertriebene Biosäfte kommen aus dem Höhbeck bei Hitzacker, eine regionale Süßmosterei ist in Bleckede angesiedelt. Sie produziert auch hervorragende Obst- und Beerenweine. **Biere** werden in Celle, bei Clenze, in Gifhorn, Lüneburg, Wienhausen und Wittingen gebraut. Berühmteste **Spirituose** der Heide ist der Celler Ratzeputz auf Ingwerbasis; darüber hinaus werden diverse andere Kräuterliköre und Kornbrände kredenzt.

Eine gute Hilfe bei der Auswahl von Restaurants und Hof-Cafés, die sich der **regionalen Esskultur** verschrieben haben, sind Aufkleber, die auf blauem Grund eine weiße Kochmütze samt Messer und Gabel zeigen. Etwa 30 Betriebe in der Heide sind der Initiative angeschlossen, die das kulinarische Erbe der Heide wahren will (www.regionale-esskultur.de).

FREIZEITPARKS

Größter Freizeitpark Norddeutschlands ist der **Heide-Park Soltau.** Ein viel geringeres, aber auch für Kinder unter 10 Jahren geeignetes Angebot mit Schwerpunkten auf Zauberei und Märchen hält der **Magic Park Verden** – westl. von Walsrode etwas außerhalb der Region – bereit (Heideweg 3, 27283 Verden/Aller, Tel. 04231 / 661110, www.magicpark-verden.de). Ein Freizeitpark mit vielen Fahrgeschäften gehört auch zum **Serengeti-Park Hodenhagen** (Am Serengetipark 1, 29693 Hodenhagen, Tel. 05164 / 97990, www.serengeti-park.de).

Tipp

Kostenlos Bus fahren

Auch ohne Auto kann man im Sommer viel von der Heide sehen – und das zum Nulltarif. Von Mitte Juli bis Mitte Okt. verkehrt der **Erlebnisbus** mehrmals tgl. auf zwei Linien: von Oberhaverbeck über Bispingen, Soltau, Bad Fallingbostel, Walsrode bis zum Serengeti-Park bei Hodenhagen und zurück sowie von Schneverdingen über Neuenkirchen, Soltau und Wietzendorf bis zum Panzer-Museum bei Munster. Der **Heide-Shuttle** ist zwischen Mitte Juli und Anf. Okt. auf drei Ringlinien unterwegs: Linie 1 von Schneverdingen über Bispingen, Over- und Niederhaverbeck zurück nach Schneverdingen. Linie 2 bedient den Rundkurs Ober- und Niederhaverbeck, Handeloh, Undeloh, Egestorf, Behringen, Oberhaverbeck, Linie 3 den Rundkurs Undeloh, Egestorf, Hanstedt, Jesteburg, Buchholz, Wesel, Undeloh. Der Heide-Shuttle nimmt sogar bis zu 14 Fahrräder kostenlos mit.

Auskunft bei allen Tourist-Informationen, www.erlebniswelt-heide.de, www.heide-shuttle-de.

HOTELS (AUSWAHL)

Preiskategorien

€€€€	Doppelzimmer	über 200 €
€€€	Doppelzimmer	150–200 €
€€	Doppelzimmer	100–150 €
€	Doppelzimmer	50–100 €

Bad Bevensen: €€ Fährhaus, Am Mühlenweg 1, 29549 Bad Bevensen, Tel. 0 58 21 / 50 00, Fax 5 00 89, www.hotelfaehrhaus.de. Traditionshaus mit großer Wellnesslandschaft. Parkplätze, Restaurant, Lift, Hunde erlaubt. 46 Zi., 9 Suiten.
Bad Fallingbostel: € Park Hotel Berlin, Düshorner Str. 7, 29683 Bad Fallingbostel, Tel. 0 51 62 / 9 00 0 60, Fax 9 00 06 25, www.hotel-berlin-online.de. Gepflegtes Haus mit parkähnlicher Gartenanlage. Parkplätze, Restaurant, Bootsverleih, Hunde erlaubt. 20 Zi.
Bispingen: € Rieckmanns Gasthof, Kirchweg 1, 29646 Bispingen, Tel. 0 51 94 / 95 10, Fax 9 51 34, www.hotel-rieckmann.de. Heidegasthof mit hellen Zimmern. Parkplätze, Restaurant, Hunde erlaubt. 19 Zi., 2 App.
Buchholz in der Nordheide: € Frommann, Harburger Str. 8, 21244 Buchholz, Tel. 0 41 81 / 28 70, Fax 28 72 87, wwwhotelfrommann.de. Moderne Zimmer in familiengeführtem Traditionshotel. Parkplätze, Restaurant, Schwimmbad, Hunde erlaubt. 49 Zi.
Celle: €€€€ Fürstenhof Celle, Hannoversche Str. 55, 29221 Celle, Tel. 0 51 41 / 20 10, Fax 20 11 20, www.fuerstenhof-celle.com. Im 1670 errichteten Palais umgibt den Gast feudale Gediegenheit. Restaurant Endtenfang mit mediterran orientierter Küche. Parkplätze, Wellness, Hunde erlaubt. 68 Zi., 5 Suiten.
Dannenberg: € Alter Markt, Am Markt 9, 29451 Dannenberg, Tel. 0 58 61 / 3 45, Fax 78 36, www.hotel-gundelfinger.de. Fachwerkhaus aus dem 15. Jh. Parkplätze, Restaurant, Reitmöglichkeit, Hunde erlaubt. 13 Zi., 1 Suite.
Egestorf: €/€€ Egestorfer Hof, Lübberstedter Str. 1, 21272 Egestorf, Tel. 0 41 75 / 4 80, Fax 10 90, www.egestorferhof.de. Familiäres Haus mit Zimmern im altdeutschen Stil. Parkplätze, Restaurant, Fahrradverleih, Reitmöglichkeit, Hunde erlaubt. 18 Zi., 3 Suiten, 7 App.
Gifhorn: € Morada Isetal, Bromer Str. 4, 38518 Gifhorn, Tel. 08 00 / 1 23 14 14, Fax 0 53 71 / 9 89 34 33, www.isetal.morada.de. Gut geführtes Haus im Norden der Stadt. Parkplätze, Restaurant, Wellness. 137 Zi., 2 Suiten, 6 App.
Lübeln: € Kartoffelhotel, Lübeln 1, 29482 Küsten-Lübeln, Tel. 0 58 41 / 13 60, Fax 13 62 36, www.kartoffel-hotel.de. Die Kartoffel ist im gesamten Hotel präsent. Parkplatz, Restaurant, Wellness. 31 Zi.

3. Jt. v. Chr. Jungsteinzeitliche Besiedlung.
2. Jt. v. Chr. Germanische Besiedlung.
3.–6. Jh. Herausbildung des Stammes der Sachsen.
772–785 Unterwerfung und Missionierung der Sachsen durch den Frankenherrscher Karl den Großen.
795 Erste Erwähnung Lüneburgs.
Um 950 Markgraf Hermann Billung, Herzog von Sachsen, baut eine Burg in Lüneburg.
956 Das Michaeliskloster in Lüneburg erhält von Kaiser Otto I. das Zollrecht für das Lüneburger Salz.
1137 Die Welfen, bis dahin Herzöge von Bayern, erlangen durch Heirat auch das Herzogtum Sachsen.
1189 Zerstörung Bardowicks durch Heinrich den Löwen im Zuge der Auseinandersetzung mit Kaiser Friedrich I. Barbarossa.
1209 Stadtrecht für Bleckede.
1235 Herzog Otto das Kind, Enkel Heinrichs des Löwen, überträgt die ihm verbliebenen Güter des ehem. Herzogtums Sachsen dem Kaiser. Auf dem Reichstag zu Mainz erhält er im Gegenzug das neu geschaffene Herzogtum Braunschweig-Lüneburg zum Lehen.
1247 Stadtrecht für Lüneburg.
1267 Die Söhne Herzog Ottos, Johann und Albrecht, teilen das Herzogtum in die Fürstentümer Lüneburg und Braunschweig auf.
1292 Gründung Celles durch Herzog Otto den Strengen.
1303–1320 Das Wendland kommt an das Herzogtum Lüneburg.
1369–1388 Lüneburgischer Erbfolgekrieg, der das Herzogtum als welfisches Erbe erhalten soll.
1378 Herzog Albrecht von Braunschweig-Lüneburg verlegt seine Residenz nach Celle, nachdem die Lüneburger Bürger die herzogliche Burg auf dem Kalkberg zerstört haben.

Lüneburg wird eine der führenden Hansestädte.
1521–1546 Herzog Ernst der Bekenner führt die Reformation ein.
1692 Das Herzogtum Braunschweig-Lüneburg wird zum Kurfürstentum Hannover erhoben.
1714–1837 Die Kurfürsten und späteren Könige Hannovers sind zugleich Könige von Großbritannien.
1814 Der Wiener Kongress erhebt das Kurfürstentum Hannover zum Königreich, das 1866, im Deutschen Krieg mit Österreich verbündet, von Preußen annektiert wird.
1859 Auf der Suche nach Braunkohle weltweit erste Erdölfunde beim Heidedorf Wietze. Planmäßige Ausbeutung ab 1885, Einstellung der Förderung 1968.
1885 Schaffung des Regierungsbezirks Lüneburg (2005 aufgehoben).
1893 Bei Munster wird der erste Truppenübungsplatz in der Heide angelegt.
1910 Schaffung des Naturschutzparks Lüneburger Heide auf Initiative von Pastor Bode.
1938 Gründung Wolfsburgs als „Stadt des KdF-Wagens bei Fallersleben" (bis 1945).
1946 Gründung des (Bundes-)Landes Niedersachsen.
1975 Verheerende Waldbrände vor allem in der Südheide.
1976 Eröffnung des Elbe-Seitenkanals nach acht Jahren Bauzeit als 115 km lange Verbindung von Elbe und Mittellandkanal.
1980 Schließung der Saline in Lüneburg.
1993 Das rechtselbische Amt Neuhaus, das seit 1945 zur sowjetischen Zone und später zur DDR bzw. ab 1990 zu Mecklenburg-Vorpommern gehörte, kehrt nach Niedersachsen zurück (Volksentscheid).
2007 Erweiterung des Naturschutzparks zur Naturparkregion Lüneburger Heide.

Lüchow: € Landgasthof Rieger, Dörpstroat 33, 29488 Lüchow-Dangenstorf, Tel. 0 58 83 / 6 38, Fax 13 30, www.landgasthof-rieger.de. Bauernhaus mit geräumigen Zimmern im Landhausstil. Parkplätze, Restaurant, Fahrradverleih, Hunde erlaubt. 12 Zi., 2 Suiten, 1 App.
€ Markthof, Satemin 25, 29439 Lüchow-Satemin, Tel. 0 58 41 / 70 92 30, Fax 7 09 12 30, www.markthof-satemin.de. Parkplätze, Reitmöglichkeit, Hunde erlaubt. 6 Zi., 5 App., 3 Ferienw.
Lüneburg: €€€ Bergström, Bei der Lüner Mühle, 21335 Lüneburg, Tel. 0 41 31 / 30 80, Fax 30 84 99, www.bergstroem.de. Aus 7 Gebäuden bestehendes Hotelensemble, umgeben vom Wasser der Ilmenau. Sport- und Wellnessbe-

reich. Parkplätze, 2 Restaurants, Reitmöglichkeit, Hunde erlaubt. 110 Zi., 15 Suiten.
Rosengarten: € Rosengarten, Woxdorfer Weg 2, 21224 Rosengarten-Tötensen, Tel. 0 41 08 / 59 50, Fax 18 77, www.hrr-online.de. Ruhig gelegenes Hotel in der Nordheide. Restaurant mit Regionalküche, Parkplätze, Sauna, Hunde erlaubt. 28 Zi., 1 Suite, 18 App.
Soltau: €/€€ Soltauer Hof, Winsener Str. 109, 29614 Soltau, Tel 0 51 91 / 96 60, Fax 96 64 66, www.soltauer-hof.de. Landhotel inmitten eines Parks mit alten Bäumen. Parkplätze, Restaurant, Sauna, Hunde erlaubt. 48 Zi., 4 Suiten, 5 App.
Uelzen: €/€€ Stadt Hamburg, Lüneburger Str. 4, 29525 Uelzen, Tel. 05 81 / 9 08 10, Fax 9 08 11 88,

Service

Eines der kulinarischen Flaggschiffe der Region: der „Josthof" in Salzhausen

www.hotelstadthamburg.de. Cityhotel an der Fußgängerzone. Hunde erlaubt. 34 Zi.

€ **Holdenstedter Hof,** Holdenstedter Str. 64, 29525 Uelzen-Holdenstedt, Tel. 05 81 / 97 63 70, Fax 9 76 37 20, www.holdenstedterhof.de. Kleines familiäres Gasthaus mit besonderem Flair. Restaurant mit schöner Sommerterrasse. Parkplätze, Reitmöglichkeit, Hunde erlaubt. 4 Zi.

Visselhövede: € **Röhrs Gasthaus,** Neuenkirchener Str. 3, 27374 Visselhövede-Hiddingen, Tel. 0 42 62 / 9 31 80, Fax 44 35, www.hotel-roehrs.de. In siebter Generation familiengeführtes stilvolles Hotel. Restaurant mit regionaler Küche. Parkplätze, Hunde nicht erlaubt. 38 Zi.

Walsrode: €/€€ **Landhaus Walsrode,** Oskar-Wolff-Str. 1, 29664 Walsrode, 0 51 61 / 9 86 90, Fax 23 52, www.landhaus-walsrode.de. Stimmungsvolles Ambiente in landestypischem ehem. Bauernhaus. Parkplätze, Fahrradverleih, Hunde erlaubt. 18 Zi., 1 Suite.

Wienhausen: €/€€ **Landhotel Klosterhof,** Dorfstr. 16, 29342 Wienhausen-Oppershausen, Tel. 0 51 49 / 9 80 30, Fax 98 03 35, www.landhotel-klosterhof.de. Refugium in der Südheide. Parkplätze, Restaurant, Sauna, Hunde erlaubt. 34 Zi.

Winsen/Luhe: €/€€ **Zur Heideschenke,** Harburger Str. 2, 29308 Winsen-Wolthausen, Tel. 0 51 43 / 66 20, Fax 66 62 21, www.heiraten-in-der-heideschenke.de. Reizender Landgasthof mit freundlichen Zimmern. Gemütliches Restaurant mit Regionalküche, Biergarten unter alten Linden, Parkplätze, Sauna, Hunde erlaubt. 9 Zi., 1 Suite, 1 App.

Wolfsburg: €€€€ **The Ritz-Carlton,** Stadtbrücke, 38440 Wolfsburg, Tel. 0 53 61 / 60 70 00, Fax 60 80 00, www.ritzcarlton.com. Harmonisch integriertes Businesshotel mit gelungenem Zusammenspiel von Design, Kunst und Architektur. Parkplätze, Restaurant, Wellness. 153 Zi., 21 Suiten.

REISEZEIT

Zwischen Ostern und Ende Okt. ist die Heide ganz auf Urlauber eingestellt. Hochsaison ist die Zeit der Heideblüte im Aug. und Sept. Im Winter sind viele Museen und einige Hotels außerhalb der Städte geschlossen. Städteurlauber müssen bedenken, dass die Südheide zwischen Celle und Wolfsburg zum Einzugsbereich der Messestadt Hannover zählt, sodass hier viele Hotels zu Messezeiten ausgebucht sind.

RESTAURANTS (AUSWAHL)

Preiskategorien

€€€€	Hauptspeisen	über 20 €
€€€	Hauptspeisen	15–20 €
€€	Hauptspeisen	10–15 €
€	Hauptspeisen	5–10 €

Bad Bevensen: €€/€€€ **Ganymed,** Bevenser Str. 1, 29549 Bad Bevensen-Medingen, Tel. 0 58 21 / 54 40, www.hotelvierlinden.de. Harmonische Kombination traditioneller und moderner Kochkunst. Parkplätze, Terrasse, Hunde erlaubt. Ruhetag Mo.

Lage und Verwaltung: Die Lüneburger Heide ist nicht streng geografisch oder gar verwaltungsmäßig definiert, der Begriff wird vielmehr vom Tourismus-Marketing geprägt. Ihre ungefähren Grenzen bilden die Elbe, die Autobahn A 2 zwischen Bremen und Hamburg, die A 1 zwischen Hannover und Wolfsburg, die A 7 zwischen Hannover und Walsrode sowie die A 27 zwischen Walsrode und Bremen. Neun Landkreise und die kreisfreie Stadt Wolfsburg haben Anteil an der Heide. Größte Städte sind Wolfsburg (120 000 Einw.), Lüneburg (104 000 Einw.), Celle (71 000 Einw.), Gifhorn (42 000 Einw.) und Uelzen (31 000 Einw.).

Wirtschaft: Lüneburg profitiert davon, dass es in der Metropolregion Hamburg liegt. Wolfsburg und der Landkreis Gifhorn werden vom Volkswagenwerk und seinen Zulieferern geprägt. Gifhorn, Celle und weitere Landkreise in der Südheide haben sich der Metropolregion Hannover-Braunschweig-Göttingen angeschlossen. So sind im Landkreis Lüneburg mit seinen 176 000 Einw. und 5000 Unternehmen beispielsweise nur 2 % der Bevölkerung in der Land- und Forstwirtschaft und nur 3 % der sozialversicherungspflichtigen Arbeitnehmer im Gastgewerbe tätig. Dagegen arbeiten 17 % im Handel, 22 % im verarbeitenden Gewerbe und 25 % im privaten und öffentlichen Dienstleistungssektor. Auch im scheinbar so ländlich geprägten Wendland leben nur noch 4 % der Berufstätigen von Land- und Forstwirtschaft, aber 33 % von Tätigkeiten im verarbeitenden Gewerbe. In der Landwirtschaft sind Speise- und Stärkekartoffeln sowie Zuckerrüben von überragender Bedeutung.

Bispingen: €€/€€€ **Tafelhuus,** Kirchweg 1, 29646 Bispingen, Tel. 0 51 94 / 95 10, www.hotel-rieckmann.de. Spezialität sind frische Forellen aus hauseigenem Räucherofen. Parkplätze, Biergarten, Hunde erlaubt. Nur abends geöffnet, Sa./So. auch mittags.

Gifhorn: €€/€€€ **Ratsweinkeller,** Cardenap 1, 38518 Gifhorn, Tel. 0 53 71 / 59 11. Gehobene regionale Gaumenfreuden in einem stattlichen Fachwerkhaus am Marktplatz. Terrasse, Hunde erlaubt. Ruhetag Mo.

Hanstedt €€/€€€€ **Sellhorn,** Winsener Str. 23, 21271 Hanstedt, Tel. 0 41 84 / 80 10, www.hotel-sellhorn.de. In gemütlichen Stuben, Jagdzimmern oder eleganten Gasträumen findet jeder einen passenden Platz. Parkplätze, Gartenlokal, Hunde erlaubt.

Hermannsburg: €€/€€€ Atrium, Billingstr. 29, 29320 Hermannsburg-Baven, Tel. 05052/9700, www.seminaris.de. Spezialität ist Heidschnuckenrücken. Parkplätze, Terrasse, Hunde nicht erlaubt.

Lüchow: €€/€€€€ Post-Kontor, Kirchstr. 15, 29439 Lüchow, Tel. 05841/97540, www.hotel-alte-post.de. Leichte und raffinierte Gerichte mit Pfiff. Parkplätze, Terrasse, Hunde erlaubt. Nur abends geöffnet.

Lüneburg: €€€€ Zum Heidkrug, Am Berge 5, 21335 Lüneburg, Tel. 04131/24160, www.zum-heidkrug.de. Bürgerhaus von 1450 mit regionaltypischer Backsteinfassade. Hunde erlaubt. Ruhetage So. und Mo.

Neuenkirchen: €€/€€€€ Landhaus Tewel, Dorfstr. 17, 29643 Neuenkirchen-Tewel, Tel. 05195/1857, www.landhaustewel.de. Regionale Küche, auch aus hiesigen Gewässern. Parkplätze, Biergarten, Hunde nicht erlaubt. Ruhetag Mi.

Salzhausen: €€€/€€€€ Josthof, Am Lindenberg 1, 21376 Salzhausen, Tel. 04172/90980, www.josthof.de. Gemütliche Gaststuben und regionale Küche. Parkplätze, Terrasse, Hunde erlaubt.

Schneverdingen: €€/€€€ Hof Tütsberg, Im Naturschutzpark, 29640 Schneverdingen-Heber, Tel. 05199/900, www.hotel-hof-tuetsberg.de. Im reetgedeckten Gutshaus aus dem 16. Jh. wird frische, kreative Landküche angeboten. Parkplätze, Terrasse, Hunde erlaubt.

Walsrode: €€/€€€ Forellenhof, Hünzingen 3, 29664 Walsrode-Hünzingen, Tel. 05161/9700, www.forellenhof.de. Rustikale, gemütliche Galeräume und regionale Spezialitäten. Parkplätze, Terrasse, Hunde erlaubt.

Wolfsburg: €€€€ La Fontaine, Gifhorner Str. 25, 38442 Wolfsburg-Fallersleben, Tel. 05362/9400, www.ludwig-im-park.de. Gourmetrestaurant mit stilvoller Eleganz. Parkplätze, Terrasse, Hunde nicht erlaubt. Ruhetag So.

SPORT

Bogenschießen: Kurzseminare im Bogenschießen, teilweise auch mit Bau eines eigenen Langbogens, bietet mehrmals jährlich an wechselnden Orten das AGIL-Büro für angewandte Archäologie (Postfach 1115, 21391 Reppenstedt, Tel. 04131/681706, Fax 671033, www.agil-online.de).

Golf: 13 Golfplätze mit insgesamt 270 Löchern laden in der Heide zum Spielen ein. Voraussetzung ist die Platzreife. 12 der Plätze findet man unter www.lueneburger-heide.de, den Golfplatz im Wendland unter www.golfclubgoehrde.de. Eine Golftrainingsanlage bittet in Hitzacker-

Metzingen zum Pitchen, Putten, Chippen (Tel. 05862/556).

Kanu und Kajak: Zahlreiche Heideflüsse sind für Kanu- und Kajaktouren bestens geeignet. Mehrere Unternehmen vermieten Boote und sorgen auch für Transport zum Start- bzw. vom Zielort oder bieten Pauschalprogramme. Dazu gehören Meyer's Kanatour (Wolthäuser Str. 20, 29308 Winsen/Aller, Tel. 05143/93015, Fax 911236, www.kanatour.de), Behrens & Schütze (Gehäge 13, 29328 Müden/Örtze, Tel. 0162/9607047, www.heidetouristikservice.de), Heide-Kanu (Marxener Str. 23, 21386 Oldendorf/Luhe, Tel. 04132/933933, www.heide-kanu.de) und Kanustation Gartow (Gartower See, Nordufer, Quarnstedt 7, 29471 Gartow, Tel. 05846/980366, www.kanustation-gartow.de).

Nordic Walking: Ausgewiesene Routen für Nordic Walker nehmen in der Heide immer mehr zu. Zentren sind bisher u. a. Amelinghausen, Bad Bevensen, Clenze, Schneverdingen und Undeloh.

Luftsport: Die Lüneburger Heide kann man auch aus der Vogelschau erleben. Motorlos gleitet man im Segelflugzeug über der Landschaft dahin. Mitfluggelegenheiten bietet der Luftsportverein in Schneverdingen an jedem schönen Wochenende zwischen April und Okt. (LSV Schneverdingen, Am Flugplatz, Tel. 05198/434 an Wochenenden, www.lsv-schneverdingen.de). Ebenfalls ohne Motorkraft schweben Heißluftballons über die Heide. Die Startplätze sind wind- und wetterabhängig. Anbieter sind Aero Ballooning Company (Vogelweide 9, 22081 Hamburg, Tel. 040/2000441, Fax 20004742, www.aeroballooning.de) und A. O. Ballonreisen

(Bendestorfer Str. 76, 21244 Buchholz, Tel. 04181/39097, Fax 04181/7120, www.ballonreisen.de). Die aufregendste Luftreise über der Heide ist wohl ein Tandemsprung am Fallschirm. Gelegenheit dazu haben Mutige auf dem Flugplatz Meißendorf-Brunsiek mit erfahrenen Springern des FSV Hannover (Postadresse: Am Teiche 3, 30826 Garbsen, Tel. 0531/2098667 und 05056/579, www.meido.de).

Radfahren: Für Radwanderer ist die durchaus nicht flache Heide mit ihren kurzen Steigungs- und Gefällestrecken ideal; nur Sandwege erfordern eine gute Kondition. Das Radwegenetz ist ausgezeichnet, einen Fahrradverleih gibt es in vielen größeren Urlaubsorten. Tourist-Informationen haben Tourenvorschläge ausgearbeitet und bieten auch Pauschalen mit Gepäcktransport an. Auf Fahrradreisende eingestellte Hotels und Pensionen tragen das Zeichen „Bett & Bike" (www.bettundbike.de). Zwei schöne Routen sind der etwa 100 km lange Elberadweg zwischen Bleckede und Schnackenburg sowie der ebenso lange Aller-Radweg zwischen Rethem und Schwarmstedt. Insgesamt 912 km lang ist das Netz des Lüneburger-Heide-Radwegs, das in mehreren Abschnitten fast die gesamte Heide mitsamt Wendland erschließt. Informationen gibt die Lüneburger Heide Gesellschaft, eine Darstellung ist im Internet unter www.fahrradreisen.de/radwege/r140 zu finden. Im Wendland gibt es ein Fahrradtaxi, das Radler samt Rädern zum Ausgangspunkt ihrer Touren bringt oder sie am Ende wieder abholt (Tel. 0171/1758472, www.mobil-vor-ort.de).

Reiten: In der Heideregion ist man auf kleine und große Reiter eingestellt, ob mit oder ohne

In der Heide lässt es sich gut wandern, auch mit Hund.

Service

eigenes Pferd. Prospekte und Internetauftritte der Tourist-Informationen informieren. Es gibt Reiterhöfe und Reitschulen, Kutschfahrten und organisierte Wanderritte; viele Restaurants, Cafés, Hofläden und Sehenswürdigkeiten bieten Anbindemöglichkeiten für Pferde. Allein im Naturpark Lüneburger Heide sind 18 Reitrouten zwischen 22 und 46 km markiert. Jeweils 5-tägige Touren haben u. a. die Tourist-Informationen von Amelinghausen, Neuenkirchen und Schneverdingen organisiert.

Wandern: Auf Wanderer ist die Heide gut vorbereitet. Überall sind die Wege markiert, für alle Gebiete sind zuverlässige Wanderkarten erhältlich. Durch das Wendland führt der 183 km lange Wendland-Rundweg (www.wendland-rundweg.de), quer durch die Heide u. a. ein 125 km langes Teilstück des Europäischen Fernwanderweges E 1 von Buchholz über den Wilseder Berg, Soltau und Müden/Örtze nach Celle. Noch im Aufbau befinden sich zwei Varianten des Jakobswegs. Eine beginnt in Hittfeld vor den Toren Hamburgs und führt über den Wilseder Berg, Schneverdingen, Soltau und Bad Fallingbostel bis zum Kloster Mariensee, die an-

Die Lüneburger Heide ist Pferdeland.

dere von Hermannsburg in der Südheide über Wienhausen und Celle zum Kloster Mariensee. Beide Zweige lassen sich zu einer ausgedehnten Wanderung kombinieren. Pilgerherbergen werden auf der Website der Projektinitiatoren empfohlen (Jakobusweg Lüneburger Heide, Am Sandberg 2, 29614 Soltau, www.jakobusweg-lueneburger-heide.de).

Windsurfen: Spezielle Bereiche für Windsurfer mit eigenem Material werden am Gartower See und am See von Hitzacker vorgehalten.

THEMENSTRASSEN

Zahlreiche entsprechend ausgeschilderte Themenstraßen führen durch die Heide. Eine der neuesten ist die Erlebnisstraße der Deutschen Einheit, die zwischen Wolfsburg und dem Wendland immer nahe der einstigen deutsch-deutschen Grenze durch die Heideregion verläuft. Andere Themenstraßen sind beispielsweise die Niedersächsische Mühlenstraße (www.niedersaechsische-muehlenstrasse.de), die in Winsen/Luhe beginnt, die Niedersächsische Spargelstraße (www.niedersaechsische-spargelstrasse.de), die Deutsche Fachwerkstraße (www.deutsche-fachwerkstrasse.de) und die Deutsche Ferienroute Alpen–Ostsee. Die kürzeste Themenstraße ist mit 35 km die Romantische Heidestraße zwischen Sprötze bei Buchholz und Salzhausen (www.lueneburger-heideland.de).

Register

Fette Ziffern verweisen auf
Abbildungen

A
Amelinghausen 45, 56, 57, 71
Autostadt **16/17, 78/79, 86, 87,**
87, **92,** 93

B
Bad Bevensen **80,** 91
Bad Bodenteich 91
Bad Fallingbostel 76
Bardowick **28,** 29, 36, 99
Bargfeld 67, 76
Bergen-Belsen, Gedenkst. 63, 77
Bispingen **18/19, 46, 47,** 47, **48,**
49, 49, 55, **56,** 56
Bleckede **98, 99,** 103, 109
Bossard, Kunststätte **30, 31,** 31, 37
Breese im Bruche 110
Buchholz in der Nordheide 29, 36,
37, 45

C
Celle **58/59, 60,61,** 61, **62, 63,**
63, **75,** 75, 76
Clenze 97, 110

D
Dannenberg 104, 105, 109, **110,**
110
Dömitz **96,** 110

E
Ebstorf, Kloster 81, **84,** 91
Egestorf **44,** 45, 56, 57
Ehrhorn 56
Elbmarsch 29, 99
Elbtal 99, 103, **109,** 109

F
Fallersleben **85,** 85, 93
Faßberg 67, 77

G
Gartow **101,** 104, 111
Gifhorn **14/15, 82, 83, 84, 85,** 85,
87, 92
Göhrde 109
Gorleben **104,** 104, **105,** 106,
107, 111

H
Hankensbüttel 83, **91,** 92
Hanstedt 29, 33, 37
Hardausee 91
Heide-Park Soltau **64, 65, 77,** 77
Hermannsburg 65, 77
Hitzacker 45, **96, 97, 98, 99,** 101,
103, 109, **110**
Hodenhagen 76
Höhbeck 99, 111
Hösseringen **82,** 91, 92
Holdenstedt, Schloss 91
Holm-Seppensen 37, 45

I / J
Isenhagen, Kloster 83, 92
Iserhatsche, Haus **48,** 49, 56
Jesteburg 31, 37

K
Kiekeberg, Freilichtmuseum am
29, **30,** 37
Kniepenberg 109

L
Lemgow 101, 110
Lübeln 73, 101, **102,** 110, 111
Lüchow 73, 99, **100,** 104, 110, 111
Luhmühlen **28/29,** 36, 63
Lüllau **30, 31,** 31, 37
Lüne, Kloster **24, 25,** 29, 35
Lüneburg **22, 23,** 23, **24, 25,** 25,
26, 27, 27, **35,** 35, 36, **37,** 37, 81
Lüneburger Heide, Naturpark
18/19, 37, **40, 41, 42, 43,** 43,
49, 52, 55, 57
Lüneburger Heide, Wildpark **32,**
32, **33,** 33

M
Marwede 76
Medingen, Kloster 91
Meißendorf 45
Müden an der Örtze 69, **70/71,** 77
Mühlenmuseum Gifhorn **14/15,**
82, 83, 85, 87, 92
Munster 45, 76
Mützingen 103

N
Nemitzer Heide **102,** 111
Neu-Darchau **99**
Neuenkirchen **50,** 50, **51,** 51, **52,**
52, **66, 67, 70, 71,** 76
Neuhaus, Amt **99,** 99
Neuhaus, Schloss 92
Neu-Tramm 110
Niederhaverbeck 56, 57
Nindorf **32,** 32, **33,** 33
Nordheide 29

O
Oberlohe 71
Oldendorf 56
Örtze, Fluss **67,** 69, 77
Ostenholz 76
Osterheide **41**
Otterzentrum Hankensb. 83, **91,** 92
Overhaverbeck 56

P / R
Pietzmoor 43, **55,** 55
Rotenburg an der Wümme 45

S
Salzhausen **28,** 36
Satemin **103,** 106, 110, 111
Scharnebeck **29,** 31, **36,** 36
Schnackenburg 99, 103, 111

Schneverdingen **41, 42,** 43, 45,
55, 55
Schwindebeck 56
Serengeti-Park Hodenhagen **64,** 76
Soderstorf 56, 57
Soltau 47, **64, 65,** 76, **77,** 77
Steinbeck 45, 49, 56
Steingrund **40,** 45, 57
Steinhorst 92

T
Totengrund 41, 45, 56, 57

U
Uelzen 31, **80, 81,** 81, 88, **89,** 89,
91
Undeloh 45, 56, 57
Unterlüß 77

V
Visselhövede 71, 76
Vogelpark Walsrode 63, **65,** 65, 76

W
Walsrode 45, 63, **65,** 65, **68,** 76
Walsrode, Kloster **68,** 76
Wienhausen, Kloster **12/13,** 65,
68, 69, 75
Wietze **76,** 76
Wietzendorf 76
Wietzetze 109
Wilsede **40,** 43, **45,** 56, 57
Wilseder Berg 39, **40/41,** 43, 56,
57, 57
Winsen an der Luhe 29, **36,** 36, 99
Wohlenbüttel 57
Wolfsburg **16/17,** 31, **78/79, 85,**
85, **92,** 92, **93,** 93

Z
Zernien 110

Impressum

1. Auflage 2011
© DuMont Reiseverlag, Ostfildern

Verlag: DuMont Reiseverlag, Postfach 3151, 73751 Ostfildern, Tel. 0711/4502-0,
Fax 0711/4502-135, www.dumontreise.de
Geschäftsführer: Dr. Thomas Brinkmann, Dr. Stephanie Mair-Huydts
Programmleitung: Birgit Borowski
Redaktion: Elke Schäle-Schmitt
Text: Klaus Bötig, Bremen
Exklusiv-Fotografie: Johann Scheibner, Berlin
Titelbild: age fotostock/LOOK-foto
Zusätzliches Bildmaterial: Bildagentur Huber: Gräfenhain (18/19, 20/21, 111 M.);
DuMont Bildarchiv: Urs F. Kluyver (41 o., 69 o.); Fishing4: Tanja Askani (32 l., r.,
33 l., r.); Heide-Park Soltau (77 o., M., u.); laif: Bialobrzeski (86 o.), Andreas
Hub (69 u.), Kürschner (111 o.); look: age fotostock (87 o.), Konrad Wothe (10/11),
H. & D. Zielske (7, 37 o., 86/87 u.); mauritius images: age (37 u.), Alamy (57 o.),
imagebroker/Ralph Kerpa (106 l.), imagebroker/Carsten Leuzinger (57 u.),
United Archives (103 u.); picture alliance: Bildagentur-online/Falkenstein (14/15),
dpa/Fabian Bimmer (104, 105 o.), dpa/Greenpeace (105 u.), Waltraud Grubitzsch
(93 o.), Simone M. Neumann (89 l.), dpa/Philipp Schulze (107, 111 u.), dpa/DB
Hans-Jürgen Wege (106 r.); Peter Siegmund, Uelzen (7, 102 u.); Stockfood:
Foodfolio (88); Wolfsburg Marketing (93 M., u.)
Grafische Konzeption, Art Direktion: fpm factor product münchen
Layout: CYCLUS Visuelle Kommunikation, Stuttgart
Kartografie: © MAIRDUMONT GmbH & Co. KG, Ostfildern
DuMont Bildarchiv: Marco-Polo-Straße 1, 73760 Ostfildern,
Tel. 0711/4502-266, Fax 0711/4502-1006, a.nebel@mairdumont.com

Für die Richtigkeit der in diesem DuMont Bildatlas angegebenen Daten
– Adressen, Öffnungszeiten, Telefonnummern usw. – kann der Verlag keine
Garantie übernehmen. Nachdruck, auch auszugsweise, nur mit vorheriger
Genehmigung des Verlages. Erscheinungsweise: monatlich.

Anzeigenvermarktung: MAIRDUMONT MEDIA, Tel. 0711/4502333,
Fax 0711/45021012, media@mairdumont.com, http://media.mairdumont.com
Vertrieb Zeitschriftenhandel: PARTNER Medienservices GmbH,
Postfach 810420, 70521 Stuttgart, Tel. 0711/7252-212, Fax 0711/7252-320
Vertrieb Abonnement: Leserservice DuMont Bildatlas, Zenit Pressevertrieb
GmbH, Postfach 810640, 70523 Stuttgart, Tel. 0180/5727252-265, Fax
0180/5727252-333, dumontreise@zenit-presse.de
Vertrieb Buchhandel und Einzelhefte: MAIRDUMONT GmbH & Co KG,
Marco-Polo-Straße 1, 73760 Ostfildern, Tel. 0711/4502-0, Fax 0711/4502-340
Reproduktionen: PPP Pre Print Partner GmbH & Co. KG, Köln
Druck und buchbinderische Verarbeitung: NEEF + STUMME premium printing
GmbH & Co. KG, Wittingen, Printed in Germany